옮긴이 **이연승**

아사히신문 장학생으로 유학, 학업을 마친 뒤에도 일본에 남아 게임 기획자, 기자 등으로 활동했다. 귀국 후에는 여러 분야의 재미있는 작품을 소개하고 우리말로 옮기는 일에 집중하고 있다. 옮긴 책으로 아오사키 유고의 『체육관의 살인』 시리즈를 비롯해 니시무라 교타로의 『살인의 쌍곡선』, 우타노 쇼고의 『D의 살인사건, 실로 무서운 것은』, 아키요시 리카코의 『성모』, 미쓰다 신조의 『붉은 눈』, 시즈쿠이 슈스케의 『범인에게 고한다』 『염원』, 오츠이치의 『하나와 앨리스 살인사건』, 이노우에 마기의 『그 가능성은 이미 떠올렸다』, 나카야마 시치리의 『히포크라테스 선서』 『테미스의 검』 『악덕의 윤무곡』, 오승호(고 가쓰히로)의 『도덕의 시간』 『스완』 『하얀 충동』 등이 있다.

표지 일러스트, 디자인 강수정
CELLOPHANGIRL

# 거짓의 봄

**ITSUWARI NO HARU**
**_KAMIKURAEKIMAE KOBAN KANO RAITA NO SUIRI**

# 거짓의 봄

**후루타 덴** 단편소설 | **이연승** 옮김

블루홀6

# 차례

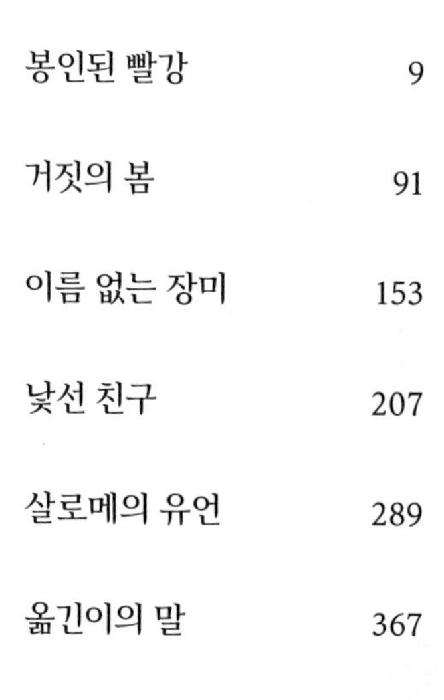

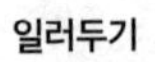


본문의 주는 전부 독자의 이해를 돕기 위한 옮긴이 주입니다.

# * 봉인된 빨강 *

이제는 이 방법뿐이다.

나는 수없이 그렇게 되뇌며 그 건물로 향했다.

구겨진 골판지 상자 두 개를 쌓아 올린 듯한 수수한 직사각형 모양의 건물. 색이 바랜 벽은 군데군데 칠이 벗겨졌고 알루미늄 새시에 달린 미닫이문은 한눈에 봐도 여닫기 힘들어 보인다. 문 위에는 커다란 간판이 걸려 있다. KOBAN*.

살얼음판 위를 걷는 듯한 심정으로 손에 땀을 쥐고 있

* 일본어로 파출소를 交番(고반)이라고 읽는다.

다. 가미쿠라역 앞 파출소. 지금까지도 이 건물을 몇 번인가 본 적이 있지만 제대로 보는 건 이번이 처음이다. 잘 보이는 높이에 설치된 적색등과 게시판에 붙은 방범 포스터가 눈에 꽂힌다. 그중에서도 '길거리 범죄 대책 실시 중'이라고 적힌 간판 옆에 선 경찰은 특히 위압감이 대단해서 좀처럼 발걸음이 떨어지지 않았다.

이렇게 느끼는 건 이제는 내가 선량한 시민이 아니라는 뜻일 것이다.

나는 어린 여자아이를 유괴해 가미쿠라시 모처에 감금해 두었다.

언제부터 그런 욕망이 내 안에 있었는지는 알 수 없다.

좁고 어두운 방. 붉은 기모노를 입은 소녀. 옆에서 정성껏 소녀를 돌보는 남자.

아마도 어린 시절 TV에서 그런 영상을 봤을 것이다. 그것은 내 각막과 마음에 강렬히 새겨졌고 꿈과 망상을 통해 반복 재생되는 동안 마치 손을 뻗으면 금세 닿을 듯한 질감마저 동반하게 되었다. 특별히 성적性的이지는 않은 그 영상을 보며 나는 성에 눈을 떴다.

내가 평범하지 않다고 처음 자각한 것은 중학생이 되

어 친구들과 함께 성인 사이트를 봤을 때다. 흥분이 아예 안 되지는 않지만 영상을 보고 다른 아이들이 느끼는 감정과 내가 느끼는 감정은 아주 거리가 멀었다. 단순히 정도의 차이가 아니라 느낌이 전혀 달랐다.

두려웠다. 정체를 알 수 없는, 그러나 압도적인 그 매력은 나를 주변에서 분리하고 어딘가 알 수 없는 곳으로 데려갈 것 같은 예감이 들었다. 나는 다른 아이들처럼 성인물 영상을 보면서 똑같이 음담패설을 나누었고 같은 반 여자아이와 평범하게 사귀었다. 고등학생이 되고 얼마 되지 않아 성 경험도 가졌다. 그러는 한편 나의 소아 성애 기질을 의심하며 마음을 굳게 먹고 그런 사이트를 찾아 들어가 보기도 했다.

아이러니하게도 이 행위들은 내게 확신을 주었다. 그 영상만큼 나를 흥분시키고 빠져들게 하는 것은 없다고.

나는 그 영상을 찾아 나섰다. 새삼 다시 보면 감흥이 없을 거라는 기대와 순수하게 다시 한번 보고 싶다는 바람이 뒤섞여 있었다. 실은 지금도 찾고 있다. 오래된 영화와 드라마를 샅샅이 뒤지고 대학 영화 동아리 친구에게 물어보고 인터넷에서 정보를 찾았지만 아직 그와 비슷한 영상은 만나지 못했다.

그 영상은 내 몸속 깊숙한 곳에서 지금도 특별한 존재로 살아 숨 쉬고 있다. 체온보다 약간 뜨겁게, 심장보다 천천히 뛰는 욕망이라는 이름의 생명체가 되어.

나는 스무 살이 된 지금까지 오랫동안 그 녀석과 공생해 왔다. 다른 사람이 알아채지 못하게 몸속 깊숙한 곳에 집어넣고 가두어 왔다. 그러나 생명체는 무릇 성장한다. 그것은 어느새 크고 강해져 자신을 내보내 달라며 살갗 밑에서 날뛰었다. 나는 있는 힘껏 그것을 억누르면서도 가끔 자유롭게 풀어 주고 싶은 유혹에 휩싸였다.

가미쿠라에 있는 할아버지의 집을 찾은 것은 정확히 그럴 때였다.

할아버지라고 해도 내가 서너 살 때 외할머니가 재혼한 상대로 나와 혈연관계인 것은 아니다. 그는 할머니와 둘이 살았지만 몇 년 전 할머니가 세상을 뜬 뒤 혼자가 되었고 작년부터는 치매 증세를 보이기 시작했다. 맡을 만한 다른 친척이 없어서 결국 연락을 받은 아버지가 할아버지를 같은 시에 있는 요양 보호 시설에 입소시켰고, 지금은 빈집이 된 할아버지의 집 상태를 가끔 확인하고 오라고 내게 시키고 있다. 나는 학교가 있는 요코하마에 혼자 살고 있어서 가미쿠라까지 가기가 그리 멀지 않다. 귀찮기는 해도 내가 중학생 때 어머니가 세상을 뜬 후 혼자 힘으로 나를 키워 준 아버지의 부탁이니 거절할 수는 없다.

설 연휴가 끝나고 시험 기간이 시작되기 전에 가미쿠라를 찾았다. 1월 5일, 그날이 운명의 날이 될 줄은 꿈에도 생각 못 한 채.

1년 반 남짓 알고 지낸 친구 리오와 함께 갔다. 리오는 관광지의 숨겨진 명소에 관심이 있다며 목에 건 DSLR 카메라를 이곳저곳에 들이밀었다. '길고양이에게 먹을 것을 주지 마시오'라고 적힌 입간판을 찍는 감성을 나는 알지 못한다. 나라면 빛을 반사하며 일렁이는 기왓장이나 물기 어린 나무 담장, 이끼 낀 돌계단과 그 틈에서 자란 잡초를 찍을 것이다. 그러나 나는 리오의 사진을 두고 이래라저래라하지 않고 리오도 마찬가지다. 그런 점에서 나와 리오는 궁합이 잘 맞았다.

아버지가 알려 준 길을 지나 차 한 대가 간신히 통과할 만한 높은 오르막길을 올랐다. 어렸을 때 어머니 손에 이끌려 여러 번 왔던 길이지만 이상할 만큼 기억이 없었다. 집 문에 걸린 설 장식을 처음 보는 것처럼 구경하며 이따금 고양이가 눈앞을 가로지를 때마다 고개를 뻗어 그들이 어디 가는지 살폈다. 차와 사람이 거의 없어서 리오가 셔터를 누르는 소리가 차갑고 맑은 대기 중으로 시원스레 울려 퍼졌다.

할아버지 집은 그 일대에서 가장 높은 곳에 있었다. 다른 집과 약간 떨어져 있었고 넓은 부지를 둘러싼 벽돌담 위에는 각양각색의 정원수가 고개를 마구 내밀고 있다. 집 자체는 별 특징 없는 슬레이트 지붕이 달린 2층 건물이었다.

"쇼와* 느낌이 물씬 나네."

리오가 손에 든 카메라를 아래로 내리며 문기둥에 걸린 문패 앞으로 다가갔다. 담장 너머로 뻗은 넝쿨을 치우자 '후지키'라는 글자가 나타났다. 내 '미야조노'라는 성도, 어머니의 결혼 전 성도 아닌 할아버지만의 성. 후지키, 후지키 하고 머릿속으로 읊어 봤지만 성 뒤에 오는 이름은 떠오르지 않았다.

리오가 카메라를 비스듬하게 앞으로 향했다. 콘크리

* 1926년부터 1989년까지의 일본 연호.

트가 깔린 그곳은 전에는 차고였던 것 같다. 제 역할을 잃은 지 오래됐는지 차양에 구멍이 뚫려 있다.

"이런 상태면 집 안도 별로 편하게 있을 공간은 못 될 것 같네."

한숨을 내쉬고 아버지에게 받은 열쇠로 현관 미닫이문을 열었다. 덜컥대며 잘 열리지 않을 줄 알았는데 놀랍게도 가볍고 부드럽게 열렸다. 나는 문득 할아버지가 살날이 얼마 남지 않았으리라고 뜬금없이 떠올렸다.

"실례합니다."

집 안에 먼저 발을 들인 리오가 몸을 부르르 떨며 위팔을 문질렀다. 커튼이 전부 내려간 집 내부는 바깥보다 춥고 먼지내가 났다.

싸늘한 슬리퍼를 신고 동상에 걸릴 것 같은 발가락을 꼼지락대며 2층까지 집 안을 얼추 둘러봤다. 할아버지를 시설에 보낼 때 아버지가 대충 정리했다고는 들었지만 모든 곳이 예상보다 더 깨끗이 정돈돼 있었다. 아버지는 필요하면 청소도 해 달라고 했지만 환기 정도만 해도 충분해 보였다.

"할아버지는 뭐 하시던 분이었어?"

리오가 카펫 위에 소파가 있는 거실에서 다다미와 고

타쓰*가 있는 안채로 옮겨 가더니 상인방에 걸린 선대들의 사진을 보며 물었다. 할머니의 사진만 즉시 알아봤다. 구석에 있는 할머니 사진 한 장만 컬러였기 때문이다. 얼굴은 기억나지 않았다.

"초등학교 교사였대. 퇴직 전에는 교장 선생님이었고."

"할아버지랑 정말 소원했나 보네."

"엄마가 처음부터 할머니의 재혼에 반대했거든. 그래도 내가 어릴 때는 종종 얼굴을 보러 온 듯하지만 역시 잘 풀리지 않았나 봐. 아니, 그걸 넘어 사이가 되게 안 좋아졌던 것 같아. 아마 내가 여덟 살 때가 마지막이었을걸. 그날 이후로는 연락도 하지 않고 내가 '할머니네 집'이란 말만 입에 담아도 두 번 다시 그런 소리 하지 말라면서 화를 내셨어. 할머니의 장례식에도 가지 않았을 정도야."

"와, 어지간히 갈등이 심했나 보다."

리오의 눈동자에 깃든 호기심의 빛을 보고 나는 화제를 바꾸고 싶어졌다.

* 전기난로가 달린 밥상에 이불이나 담요 등을 덮은 일본식 난방 기구.

"교장 선생님 집이라고 생각하고 보니 인텔리 같은 분위기가 확 풍기네."

흔하디흔한 일본식 가옥이지만 도코노마*에 장식된 책이나 정교하게 세공한 난간에서 기품이 느껴졌다. 중후한 책상이 놓인 서재도 있는데 거대한 책장에 멋들어진 장정의 해외 문학 전집이 꽂혀 있다. 할아버지는 특히 러시아 문학을 좋아한 것 같았다. 공간이 부족했는지 책장은 2층 복도에도 있었다.

"정말로 기억이 전혀 안 나?"

"응. 전혀."

그렇게 대답했지만 실은 처음 집에 들어올 때부터 뭔가 이상하기는 했다. 이 집이 이렇게 넓었나. 내 느낌에는 조금 더 좁고 답답한 느낌이었는데.

리오는 2층 책장과 그 옆에 있는 노래방 기계를 찍었다. 책장 한쪽에는 CD와 카세트테이프가 잔뜩 꽂혔는데 그 옆에는 '세상 모든 중년 여성의 연인'이라는 별명으로 일세를 풍미한 트로트 가수의 브로마이드가 테이

* 방 한쪽에 꽃이나 족자 등을 장식할 수 있게 만들어 둔 공간.

프에 붙어 있었다.

"할아버지랑 할머니, 금슬 좋은 부부 아니었을까?"

"글쎄. 난 잘 모르겠는데."

"너와 난 센서가 다르니까. 네가 쓴 영화 평론은 나한테 별로 안 와닿기도 하고."

매사 이렇게 솔직한 것이 리오의 장점이다. 그러나 한편으로 이제는 서로에게 너무 익숙해진 것 같아 조금 아쉽기도 했다. 이렇게 마음이 잘 맞는 리오와도 내 안에 있는 가장 격렬한 감정을 공유할 수는 없다. 내가 가진 센서는 그 누구와도 다르다. 나는 외톨이고 내 안에 가둬 둔 그 생명체와 오직 둘이서만 충족되지 않는 욕구를 계속 견뎌야 한다.

"할아버지한테 다른 가까운 친척은 없다고 했지? 이 집은 어떻게 되려나. 어쩌면 몇 년 뒤에는 우리가 여기서 살게 될지도."

리오가 생각지도 못한 말을 꺼내서 살짝 당황했다. 할아버지와 할머니가 살던 집에서 나와 리오가 산다니.

순간 불현듯, 정말로 갑작스럽게 할아버지가 왠지 친근해졌다. 리오가 꺼낸 말보다 그 감각에 나는 더욱 놀라고 경악했다. 얼굴과 목소리까지 제대로 기억하는 건 무엇 하나 없는데도.

"그럴 수도 있겠네."

나는 건성으로 대답했다. 리오는 내 변화를 눈치채지 못하고 윤기 나는 긴 머리카락을 귀 뒤로 넘기며 "불편하려나" 하고 중얼거렸다. 목소리가 들떠 있다.

나는 화장실에 다녀오겠다고 하고 그 자리를 벗어나 다시 집 안을 걷기 시작했다. 할아버지가 가까이 있는 듯한 묘한 감각은 사라지지 않았다. 기억에는 없지만 뚜렷하게 느껴지는 짙고 농밀한 기운.

서재에서 충동적으로 책상 서랍을 열어 봤다. 할아버지라는 사람에게 조금 관심이 생겼다.

서랍 속 대부분을 차지하는 것은 노트와 원고지 묶음이었다. 중요해 보이는 서류는 없으니 아버지가 어딘가에 따로 보관했을지 모른다. 원고지에는 젊은 사람들은 읽기 어려울 흘림체 글자가 가득 채워져 있다. '내가 생각하기에 교육이란 곧 세뇌다'. 이것이 할아버지의 교육론이었을까. 노트에는 독서 기록과 할아버지가 직접 지은 것으로 보이는 시도 있었다.

그러나 내 관심은 그곳에 없었다. 서랍 깊숙한 곳 구석에서 조용히 자리를 차지하고 있는 것. 서랍을 연 순간부터 원고지와 노트를 읽을 때까지도 줄곧 시선 한쪽에 두고 있었던 것이다.

열쇠였다. 두 개의 열쇠가 조개껍데기를 붉은 비단으로 감싼 열쇠고리에 달려 있다.

두 개 다 열쇠 구멍에 꽂아서 돌리는 타입이다. 하나는 딤플 키라고 해서 꽂는 부분에 크기와 깊이가 다른 홈이 여러 개 있다. 또 하나는 오래된 형태의 열쇠로 꽂는 부분은 알파벳 E, 머리 부분은 고리 모양을 닮았다. 영화 같은 데서 본 적은 있지만 실제로 보는 건 처음이었다.

열쇠를 유심히 관찰하면서도 시야의 중심에는 넣지 않으려는 마음의 움직임에는 기시감이 들었다. 그때 그 영상이 불러일으킨 특별한 감각을 깨달았을 때의 두려움. 영상의 매력이 나를 좋지 않은 곳으로 끌고 갈 거라는 예감.

거스르지 못하는 것도 마찬가지다. 마침내 직시하게 된 순간부터는 눈을 뗄 수 없었다. 열쇠고리를 손끝으로 집어 들자 열쇠 두 개가 맞부딪혀 쇳소리가 났다. 미미한 소리인데도 심장에 울려 퍼졌다. 몸속에 있는 그 녀석이 꿈틀거리고 있다. 이유는 알 수 없지만 이 열쇠가 지금껏 우리를 기다리고 있었다는 것을 나와 그 녀석 모두 절실히 느꼈다.

"여기 있었어?"

리오의 목소리가 들리자마자 열쇠를 코트 주머니에 쓱 집어넣었다.

"계속 안 와서 무슨 일이라도 났나 싶었는데, 뭐 하고 있었어?"

"재미있는 걸 찾았어."

곧장 노트와 원고지 묶음을 앞으로 내밀었지만 말투가 부자연스러웠을지도 모른다. 우리의 특별한 조우에 찬물을 끼얹은 리오에게 화가 치밀었다. 더 정확히 말하면 리오를 데려온 것을 후회했다. 그녀가 다가와 원고지를 집어 들었을 때 난 발소리와 희미한 향수 냄새조차 불순물처럼 느껴졌다.

"좀 보고 있어."

졸지에 걸림돌이 된 리오를 남겨 두고 종종걸음으로 서재를 나갔다. 리오가 "어디 가?"라고 물었지만 못 들은 척했다.

신발을 신기도 귀찮아서 운동화를 구겨 신고 현관을 나섰다. 넓은 정원에 들어가 집 뒤쪽을 향해 걷다가 마침내 멈춰 서서 주머니에 든 열쇠를 꺼낸다.

지그시 바라본 열쇠는 겨울의 투명한 햇살을 받아 은은한 빛을 발산했다. 바로 옆에 새빨간 꽃을 피운 동백나무가 있어서인지 희미하게 적색을 머금은 것처럼 보이기도 한다. 조개껍데기 열쇠고리를 감싼 붉은 비단 위에 매직펜으로 뭔가가 적혀 있다. 네 자리 숫자. 1818. 할아버지가 메모한 걸까.

문득 안쪽에 있는 낡은 건물에 눈길이 향했다. 회반죽벽에 기와지붕을 얹은 창고다. 할아버지는 이 창고를 청소하다가 넘어져서 허리를 삐끗하는 바람에 몸져누웠고 그 뒤로 치매가 더 빠르게 진행됐다고 들었다. 비바람에 쓸리고 잡초에 포위된 창고는 나무 그늘 속에서 조용히 숨죽이고 있는 것처럼 보인다. 봉오리가 부푼 홍매화가 옆에서 가만히 몸을 기대고 있다.

그것을 보자마자 마치 전기가 통하는 듯한 감각이 온몸을 훑고 지나갔다. 무의식적으로 손바닥에 있는 열쇠를 본다. 열쇠고리의 붉은빛이 눈에서 머리를 통해 쑥 빠져나가는 착각이 들었다.

홀린 사람처럼 창고에 다가가 문 앞의 작은 돌계단을 올랐다. 문만 새것으로 교체했는지 금속으로 만든 여닫이문이고 손잡이 옆에는 금고처럼 다이얼, 아래에는 열쇠 구멍이 있다. 나는 이상한 확신을 지닌 채로 열쇠 구멍에 딤플 키를 꽂았다. 제법 싸늘한 날이었는데도 어쩐지 손바닥이 땀에 젖어 열쇠가 한 번 미끄러져 떨어졌다.

열쇠를 돌리는 소리가 상상 이상으로 커서 무심코 뒤를 돌아봤다. 정원 나무의 붉은 열매를 쪼던 작은 새가 후드득 날아갔고 리오가 다가오는 기색은 없었다.

조금 망설였지만 결국 욕구를 참지 못하고 문을 다시 돌아봤다. 이번에는 다이얼에 손을 대고 열쇠고리에 적힌 숫자를 향해 돌렸다. 1, 8, 1, 8.

손잡이는 아마 차갑게 식어 있었겠지만 감촉이랄 게 없었다. 두껍고 육중한 문을 여니 바닥에 얕게 쌓인 흙먼지에 줄이 생겼다.

문 너머에는 또 다른 문이 하나 있었다. 이 문은 나무로 만든 미닫이문인데 끝에 있는 열쇠 구멍에 또 하나의 오래된 열쇠를 꽂아서 돌리자 철컥하고 자물쇠가 풀리는 소리가 들렸다. 그러나 막상 열려고 하니 문은 꿈쩍도 하지 않았다.

그때 "다케루!" 하는 리오의 목소리가 귀에 꽂혔다.

혀를 쫓 차고 싶은 마음을 꾹 누르고 흥분을 감춘 채 따분해하는 표정으로 고개를 돌렸다.

"나이스 타이밍."

리오는 잡초를 밟으며 다가와 손에 든 부지깽이 같은 것을 흔들어 보였다. L자 모양으로 부지깽이보다 손잡이 부분이 길고 끝부분이 살짝 꺾여 있다.

"그게 뭐야?"

"할아버지 서재에서 찾았어. 막대 자물쇠, 몰라?"

심장이 쿵 내려앉았다.

"처음 듣는데."

"이런 창고 문에 자주 쓰이는 자물쇠래. 전에 여행 간 곳에서 본 기억이 있어. 아마 이 기구가 열쇠고 저게 열쇠 구멍일 거야."

리오가 미닫이문 아래쪽 가운데를 가리켰다. 허리를 숙여서 보니 리오의 말대로 세로로 가늘고 긴 사각 구멍이 나 있다.

"잘 기억나진 않는데 아마 막대를 문지방에 있는 구멍에 박아서 잠그는 구조일 거야. 열 때는 이 열쇠로 막대를 끌어올리는 거고."

"잠깐 줘 봐."

열쇠를 받아 들고 허리를 숙여 자물쇠를 풀고 있을 때 리오는 내 등 뒤에서 활짝 열린 바깥쪽 문을 사진으로 찍었다.

"큰 창고 중에는 문이 삼중으로 달린 곳이 있는데 가장 바깥쪽에 있는 문부터 야문, 외문, 주문이라고 부른대. 이 문은 디자인이 수수한 편인데 호화로운 장식이 들어간 문이나 디자인이 섬세한 자물쇠도 많나 봐. 비교해 보면 재미있을지도 모르겠어."

나는 대답하지 않았다. 그런 것보다는 빨리 창고 안을 확인하고 싶었다.

"야문 열쇠가 있었어?"

"아니, 처음부터 열려 있었어. 딱히 귀중품 같은 게 있는 곳도 아니고, 외문이라고 했나? 이 외문에 달린 막대 자물쇠만으로 충분하다고 생각한 것 같아."

거짓말이 술술 나왔다. 되도록 다른 사람을 끌어들이고 싶지 않았다.

막대 자물쇠를 풀고 나는 말없이 몸을 일으켰다. 문을 밀자 이번에는 부드럽게 열렸다. 문 너머에는 또 다른 나무로 만든 미닫이문이 있는데 이것이 바로 리오가 말한 주문일 것이다. 격자가 들어간 위쪽 절반 부분을 통해 외부 빛이 희미하게 창고 안을 비추고 있다. 따로 자물쇠 같은 것은 보이지 않아서 시험 삼아 당겨 보니 가볍게 열렸다.

"주문은 말이지……."

리오가 뭔가 설명하려고 했지만 격렬하게 뛰는 심장 소리 때문에 들리지 않았다. 문이 열리자 생긴 눈앞의 좁고 어두운 공간에 몸과 의식이 통째로 빨려 들어가는 것 같다. 신발을 벗고 안에 들어갈 때 앞으로 뻗은 다리가 떨리는 것을 눈치챘다. 숨을 들이마실 때는 정말로 온몸이 부르르 떨렸다. 곰팡내가 풍기는 공기. 오래된 나무와 쇠 냄새.

"우와, 어둡네. 전등이 없나? 적어도 창이라도."

뒤따라 들어오려는 리오를 부랴부랴 막아섰다. 무슨 말을 꺼내야 좋을지 바로 떠오르지 않아 일단 손바닥을 앞으로 내밀었다.

"뭐야, 왜 그래?"

"들어오지 않는 게 좋을 것 같아. 거미줄투성이야."

간신히 짜낸 말이 다행히 효과가 있었다. 리오는 "그럼 난 사양" 하고 항복 포즈를 취하더니 뒤로 물러섰다.

실제로 창고 안에는 온갖 곳에 거미줄이 덕지덕지 늘

어져 얼굴과 손에 들러붙었다. 널빤지 바닥에는 거스러미가 잔뜩 일어서 양말을 파고들었고, 부러지지 않을까 걱정될 만큼 휘어진 부분도 있다. 오랫동안 방치돼 있었는지 허름해 보이는 나무 상자와 고리짝이 몇 개 있을 뿐이다.

나는 내부를 둘러보며 느릿느릿 안으로 걸어갔다. 리오는 큰 창고 중에 문이 삼중으로 달린 곳이 있다고 했지만 이 창고는 별로 크지 않다. 기껏해야 3.5평 정도 될까. 그래도 발걸음을 뗄 때마다 어둠이 더 짙어져 끈적하게 나를 감싸는 것 같았다. 문득 정신을 차려 보니 나는 입으로 숨을 쉬고 있었다. 갑갑해서 코트 단추를 하나 풀었다.

"다케루, 안에 있지? 어두워서 하나도 안 보여."

리오의 목소리가 제법 멀리서 들린다. 창고 안은 쥐 죽은 듯이 고요했다. 집 전체가 원래 조용하기는 해도 밖에 있으면 새의 지저귐이나 날갯짓 소리가 들리고 나뭇가지와 풀이 흔들리는 소리도 들린다. 사람 목소리나 차 소리가 들리는 구역도 있다.

"다케루!"

가장 안쪽까지 걸어 들어갔을 때 고개를 돌렸다. 희

뿌연 빛과 리오의 실루엣. 단 하나만 고개를 내밀고 있는 홍매화 꽃봉오리. 모두 아름답지만 놀라울 정도로 아득하다. 아니, 멀리 있으니 비로소 아름다운 걸까.

돌연 그 영상이 눈앞에 떠올랐다. 좁고 어두운 방. 붉은 기모노를 입은 소녀. 옆에서 정성껏 소녀를 돌보는 남자.

너무도 선명한 영상에 숨을 집어삼켰다. 혈관이 부풀어 오르는 게 느껴진다. 떨림이 멎지 않았다.

여기다! 하고 몸속에 있는 그 녀석이 소리쳤다.

꽉 쥐고 있는 열쇠가 손바닥을 파고든다. 나를 기다리고 있었던 것이 분명한 이 열쇠.

그렇다, 바로 여기다. 나를 기다리고 있었던 것은 이 창고다.

나는 실처럼 가는 숨을 내뱉고 천천히 몸에서 힘을 뺐다. 억지로 누르는 것을 포기하니 오히려 그 녀석의 크기가 잘 느껴졌다.

"……여기라면."

처음으로 바깥에 나온 그 녀석이 낮게 중얼거렸다. 목소리는 환희와 흥분 때문에 살짝 쉬어 있다.

"뭐야? 다케루. 뭐라고 하는 거야?"

"금방 나갈 거라니까. 너 보기보다 겁쟁이구나."

떨림과 동요 역시 거짓말처럼 사라진 상태였다. 문을 향해 돌아가는 동안 2층으로 올라가는 계단이 눈에 들어왔지만 다음 기회로 돌리며 참을 여유도 있었다.

밖에서 들어오는 빛을 밟는 거리까지 돌아갔을 때 주문에도 자물쇠가 달려 있는 것을 깨달았다. 안쪽에서 거는 빗장이다. 야문에 있는 딤플 자물쇠와 다이얼식 자물쇠, 외문에 달린 평범한 자물쇠와 막대 자물쇠, 주문에는 빗장. 철벽같은 보안이다. 집 안에서부터 나를 줄곧 뒤따라오던 할아버지의 기운이 더욱 짙어진 느낌이 들었다.

다음으로 할아버지의 집을 찾은 것은 2월 3일이었다. 마음 같아서는 당장에라도 달려가고 싶었지만 가끔 집 상태를 확인하기로 해서 횟수는 한 달에 한 번이었다. 나는 안달복달하며 집에서 발을 동동 굴렀다.

두 번째로 그 집을 찾았을 때 자전거를 타고 지나가던 중년 여성이 수상쩍어하는 얼굴로 나를 봤다. 나는 먼저 나서서 자기소개를 했다. 나에 대한 이야기가 이제 곧 이웃들에게 널리 알려질 것이다. 후지키 선생님네 댁 손자가 가끔 집 상태를 보러 온다네, 효자네, 효자야,

라는 식으로.

그렇게 수상해 보이는 문제를 해결하고 나는 곧장 창고 정리를 시작했다. 우선 전체 상태를 파악해야 한다.

외부를 한 바퀴 돌며 창문은 2층에만 있는 것을 확인했다. 빗물을 막기 위한 덧문은 닫혀 있고 밖에서 빗장이 걸려 있다. 밖에서 거는 빗장이 신기했지만 조사해 보니 도조* 창고에는 흔하다고 한다. 삐걱거리는 계단을 올라 미리 가져온 손전등으로 주위를 비추자 창문 안쪽에는 철창이 달려 있었다. 전등이나 공조기는 없고 콘센트도 없다. 경보기나 감시 카메라 같은 방범 장치도 설치돼 있지 않았다.

2층에 있는 것이라곤 책밖에 없었다. 끈으로 묶인 책이 쌓여 있고 상자에 담긴 책도 있는데 모두 물에 젖은 흔적이 없는 것을 보면 빗물이 들어올 염려는 없어 보인다.

1층 나무 상자에 들어 있는 것은 꽃병과 식기, 족자였다. 그것들을 하나둘 꺼내서 보는 동안 할아버지가 한

* 벽이 두꺼운 일본식 전통 창고.

때 골동품 수집에 빠졌다는 이야기를 떠올렸다. 할머니의 입을 통해서 들은 기억이다. 할머니는 엄지와 검지로 동그라미를 만들며 "이게 얼마나 들어갔는지 아니?" 하고 쓴웃음을 지었고 어머니는 냉소적인 목소리로 "애 앞에서 그런 말씀 마셔요"라고 했다.

할아버지가 수집한 골동품을 창고에 보관했기 때문에 야문과 자물쇠를 교체했을지 모른다. 그 후 가치 있는 것들은 팔고 기증해서 결국 잡동사니만 남게 되었다. 고리짝 안에는 낡은 옷과 직물, 천 조각 따위가 들어 있었다. 천들을 하나하나 펼쳐 봤지만 하나같이 색이 바래고 좀이 쏠아 있다.

세 번째 방문은 3월 1일. 창고 옆에는 홍매화가 만개해 있었다.

그날은 할 일이 아주 많았다. 첫차를 타고 가 청소하는 데 거의 하루를 다 썼다. 훈연성 살충제를 피우고 기다리는 동안 안채에서 뜯어낸 다다미를 창고에 가져가 1층 바닥에 깔았다.

청소법은 인터넷에서 검색했다. 혼자 모든 일을 하기가 체력적으로 벅찼지만 다른 사람에게 도와 달라고 할 수 없는 노릇이었다.

리오는 첫날 이후 데려오지 않았다. 갈 때 간다고 알리지도 않았다. 서로를 구속하지 않으니 우리의 관계는 굳건하다.

밤이 되어서야 창고 안에 3.5평짜리 다다미방을 만들었을 때는 이미 온몸이 녹초가 돼 있었다. 피곤해서 입맛이 뚝 떨어졌고 그것도 모자라 머리부터 발끝까지 먼지를 잔뜩 뒤집어썼다. 그래도 나는 무대가 순조롭게 만들어진 것을 보며 마음이 들떠 있었다.

달빛이 어스름하게 비치는 곳에 홍매화 향기가 감돌고 있다. 하복부가 불끈 달아오르는 것을 느꼈다.

다음 방문은 4월 12일. 방문 간격이 길어진 것은 내가 속한 영화 동아리에서 신입생 모집 활동을 했기 때문이다. 간신히 해방된 날짜가 11일이었다.

홍매화는 이미 죄다 시들어 바람을 타고 날아가 버렸는지 흔적조차 없었다. 동백나무도 힘을 잃어서 붉은 꽃이 사라지고 없다. 나는 극심한 초조감에 사로잡혔다. 붉은색이 사라졌다고 풍경이 이렇게나 초라해 보이다니. 한시라도 빨리 다시 붉은 꽃을 심어야 한다고 생각했다. 그렇다고 다른 데서 꺾어 올 수는 없다. 이곳에 붉은 꽃을 심어서 소중히 키우며 아껴 줄 것이다. 지지도 꺾이지도 않고 항상 이곳에 피어 있는, 나만의 붉은 꽃.

창고에 가서 마지막 준비를 마쳤다. 한낮의 태양과 한밤의 달 대신 꽃을 비추는 빛. 원래라면 촛불이 더 어울리겠지만 화재 위험성을 고려해 포근한 빛을 내는 건전지 램프로 정했다. 하나, 둘, 셋, 화분 받침대를 써서 높이를 조절하면 꼭 반딧불이 날아다니는 것처럼 보이기도 한다. 어쩔 수 없이 필요한 요강은 어두운 계단 아래에 두고 횃대에 천을 걸어 눈에 띄지 않게 했다. 때를 지우지 못한 벽에는 어렴*처럼 예쁜 발을 걸었다.

문 앞에 서서 보고 있으니 한숨이 절로 새어 나왔다. 이제 소녀에게 입힐 붉은 기모노만 남았다. 어울리는 것을 아직 못 찾았지만 초조해할 필요는 없다. 창고가 나를 기다렸던 것처럼 기모노도 나를 기다리고 있을 것이다.

그로부터 정확히 한 달이 흐른 5월 12일, 나는 할아버지 집을 찾았다. 아침 햇볕에 잘 말린 이부자리에 새 시트를 씌우고 창고에 가져갔다. 결전의 날이다.

* 궁궐에 치는 발을 이르던 말.

주인공이 될 소녀는 이미 점찍어 두었다. 계기는 4월에 창고를 정리하고 며칠 뒤 열린 동아리 술자리였다. 지방에서 올라온 신입생이 고향 이야기를 했다.

저희 집은 이바라키에서도 더 깊이 들어가야 나오는 시골인데 사방이 논밭에 집 몇 채가 뜨문뜨문 있는 곳이죠. 나무가 무성해서 여름에는 매미 울음소리가 귀를 찔러요. 해가 지면 앞이 보이지 않을 만큼 캄캄하고요. 고등학생 때는 전철을 타고 학교에 다녔는데 선로가 하나뿐인 데다가 무인역에 열차가 몇 대 다니지도 않아서 엄청 불편했어요. 아, 중학생 때는 자전거를 타고 다녔죠. 네. 촌스러운 헬멧까지 눌러 쓰고요. 가장 비참했던 건 초등학생 때였어요. 학교가 멀었는데 이웃 중에 또래 아이가 없어서 등하굣길을 계속 혼자 다녔거든요. 지금은 저희 옆집에 초등학생 여자아이가 사는데 그 애도 예전 저와 별반 다르지 않나 봐요. 이런 게 바로 도시와 지방의 격차 아니겠어요?

그 이야기가 내게는 하늘의 계시처럼 들렸다. 호들갑스러울 수 있지만 창고 준비를 마치자마자 그런 이야기를 들었으니 그럴 만도 하다.

동아리 신입생의 고향 주소와 전화번호는 비상 연락

망에 등록돼 있었다. 부리나케 그곳으로 향했다. 요코하마에서 근처 역까지 전철을 세 번 갈아타고 두 시간 반 남짓, 그 뒤로 도보로 약 20분. 유괴하기에 적합한 거리 같은 건 잘 모르지만 이 정도면 괜찮겠다고 느꼈다. 하물며 나와는 일절 연고가 없는 지역이다. 역에 있는 시 홍보 전단에 시를 상징하는 나무가 매화나무라고 적혀 있어서 마음에 더 들었다.

지도 애플리케이션 덕분에 그날 이야기를 들려준 신입생의 집이 어딘지도 금세 알게 됐다. 그가 묘사한 시골 풍경은 과장이 아니었다. 역에서 멀어질수록 건물과 사람이 자취를 감추었고 대신 논밭과 수풀이 세력을 확장해 갔다. 맑고 화창한 4월의 해 질 녘인데도 한가로운 정취보다 왠지 적적한 느낌이 강했다. 아직 모내기 철 전이라 광활한 지평선이 흙색이어서일지도 모른다. 아니면 수풀과 나무가 상상보다 더 울창한 탓일까.

신입생이 옆집이라고 한 집은 도심지라면 집 열 채는 충분히 지을 거리에 떨어져 있었다. 2층 베란다에 널린 세탁물을 통해 초등학교 고학년 정도 되는 여자아이가 산다는 것을 알 수 있었다.

근처 나무 뒤에 몸을 숨긴 채 집에 돌아올 소녀를 기

다렸다. 왠지 오래 기다리지 않아도 될 것 같았다. 소녀도 나를 기다리고 있을 테니까. 열쇠와 창고가 나를 기다린 것처럼.

아니나 다를까 채 30분도 지나지 않아 소녀가 집에 돌아왔다. 반바지 아래로 뻗은 다리가 날씬하고 아기 사슴을 연상케 하는 보이시한 느낌의 소녀. 눈에 띄는 미소녀는 아니지만 이목구비가 반듯하다. 하얀 피부가 저녁놀을 받아 매끈하게 빛나고 짧게 자른 생머리는 검게 윤이 난다.

소녀의 모습을 눈에 아로새겼다. 가슴이 두근거리고 마음이 들떴다. 나는 지금 첫사랑을 경험하고 있다고 느꼈다.

그날 이후 보름이 지나도록 틈날 때마다 소녀의 집으로 향했다. 눈에 띄지 않게 일부러 변장하지는 않았지만 도수 없는 안경을 끼거나 옷차림새를 조금 바꾸는 등의 변화는 줬다. 얼마 되지 않아 소녀는 물론 소녀 가족의 생활 방식까지 파악하게 되었다. 학교에서 걸어서 30분 정도 걸리는 하굣길 길목에서 다른 사람 눈에 띄지 않게 소녀를 만날 수 있는 장소도 물색해 두었다. 당일에는 차로 맞으러 가는 게 나을 것 같아 각각 다른 렌터카 회사의 차를 두 번 빌려 예행연습도 했다.

그리고 5월 12일, 마침내 결전의 날을 맞이한 나는 들떴지만 긴장되지는 않았다. 긴장감이 아예 없었다고 하면 거짓말이지만 신경이 곤두서서 오히려 상쾌할 정도였다.

저녁 5시가 지나 또 다른 렌터카 회사에서 빌린 차를 소녀의 집에서 8백 미터 정도 떨어진 나무 옆에 세웠다. 사람과 차가 뜸하고 커브와 기복이 많아 주변에서 잘 보이지 않는 곳이다. 앞으로 20분 정도 지나면 소녀가 뒤에서 모습을 드러낼 것이다. 금요일은 초등학교 동아리 활동이 있어서 하교 시간이 평소보다 늦다.

오전에는 날씨가 맑았는데 오후부터는 구름이 끼기 시작했다. 일부러 쓰고 온 선글라스를 벗자 주변이 어스름했고 차 시동을 끄니 개구리 울음소리가 들렸다. 이런 날에는 논에 사람이 나오지 않으니 더욱 좋지만 만약 소녀에게 우산이 없다면 비를 맞을 수도 있다. '빗방울이 떨어지기 전에 얼른 오렴' 하고 속으로 소녀를 불렀다.

잠시 후 백미러에 비친 소녀는 평소처럼 혼자였다. 차 시동을 걸고 사뿐사뿐 다가오는 소녀를 잡아먹을 것처럼 바라봤다. 이제 얼마 안 남았다. 곧 나의 것이 될 것이다. 앞으로 두 걸음, 한 걸음.

차에서 내려 소녀에게 말을 걸었다. 할머니가 쓰러지셔서 엄마와 아빠, 할아버지가 모두 병원에 가셨어. 아저씨는 아빠 회사에서 일하는 사람인데 널 데려와 달라고 부탁받았어. 그야말로 유괴범 분위기가 물씬 풍기는 말이지만 나는 소녀의 가족을 알고 있다. 집 옆 나무에 몸을 숨기고, 가족이 자주 다니는 슈퍼에 손님으로 들어가거나 가끔은 미행까지 하며 대화를 엿들었다. 덕분에 할머니가 다니는 사교댄스 교실과 그곳에서 친하게 지내는 친구 이름, 부모가 소녀를 부를 때 쓰는 애칭도 파악해 두었다. 그것들을 잘 섞어서 말한 게 먹혔을 것이다. 정 안 되면 힘으로 데려갈 계획도 세웠지만 소녀는 순순히 제 발로 조수석에 올라탔다. 어린이용 핸드폰을 들고 있었지만 그것으로 상황을 한 번 더 확인해야 한다는 생각까지는 하지 못한 듯했다.

소녀가 깨닫기 전에 서둘러, 그러나 지극히 자연스러운 속도로 차를 출발했다. 차 문을 잠그고 벗어 둔 선글라스를 다시 쓴다.

미리 가져온 종이 팩에 든 주스를 건네자 소녀는 동아

리 활동과 처음 겪는 상황 때문에 어지간히 목이 말랐는지 빨대를 연신 쪽쪽거렸다. 주사기로 주스에 수면제를 탔으리라고는 꿈에도 생각지 못할 것이다.

얼마 지나지 않아 소녀는 잠에 빠져들었다. 천사 같은 잠든 얼굴을 자꾸 쳐다보느라 운전에 집중하기가 힘들었다. 하마터면 아이의 핸드폰을 처분하는 것도 잊어버릴 뻔했다.

슬금슬금 차오르는 환희 때문에 핸들을 쥔 손이 조금씩 떨렸다. 드디어, 드디어 나의 꿈이 실현된다. 소녀의 향기를 가슴 깊이 들이마시며 극치의 행복감에 현기증이 일었다.

5월 19일

베니코, 베니코, 하고 부르자 외까풀 눈이 바르르 떨렸다. 눈을 뜬 베니코는 누가 자기를 부른지도 모르고 멍한 얼굴로 창고 안을 둘러봤다. 흐트러진 검은 머리카락에 눈동자는 아지랑이가 낀 것처럼 부옇고 입술을 살짝 벌리고 있다. 꿈과 현실의 경계에 있는 지금 베니코는 그 어느 때보다 순진무구하고 사랑스럽다.

기모노의 허리띠를 풀고 완전히 알몸이 된 베니코를 물에 적신 손수건으로 구석구석 깨끗이 닦아 줬다. 정맥이 비치는 귓바퀴 안쪽과 쭉 뻗은 발목 힘줄, 손가락 사이사이까지 꼼꼼히 신경 써서 닦는다. 베니코는 처음에 싫어했지만 지금은 온몸의 힘을 뺀 채 꼼짝도 하지 않고 내게 모든 것을 맡기고 있다.

목에 희미하게 손가락 자국이 남아 있다. 또 저지르고 말았다. 고통에 찬 표정에 홀린 나머지 힘을 세게 준 탓이다. 미안하다고 사과하고 다음에 맛있는 과자를 사 주기로 약속했다. 요즘은 날씨가 더워서 시원한 빙과가 좋을 듯싶다.

8월 27일

잘 익은 무화과를 손에 넣었다. 곧장 접시에 담아 창고에 있는 베니코에게 가져다주었다. 내 손가락에 입술을 향하는 모습은 마치 어린 새 같고 과즙을 홀짝이는 소리는 지저귐과 닮았다.

과육을 오물거릴 때의 턱의 움직임, 집어삼킬 때의 목의 떨림. 그것들은 내게 희열을 준다. 특히 내가 가장 좋아하는 것은 잔 밑바닥에 아주 조금 찰랑이는 술을 핥는 모습이다. 입술이 잔의 가장자리를 부드럽게 감싸고, 젖어서 색이 짙어진 그곳에서 아련한 열기를 머금은 한숨이 흘러나온다. 나는 액체의 흐름을 좇으며 입술에서 목, 목에서 배를 손끝으로 살며시 쓸어내린다.

기모노를 벗기는 행위는 여러 겹의 꽃잎을 한 장씩 떼어내는 것과 닮았다. 꽃 속에는 진주가 숨어 있다. 이 계절에 진주의 겉면은 물기를 듬뿍 머금어 빛나고 있다.

툭 튀어나온 어깨뼈 사이의 붉은 발진을 보고 나는 그곳에 부채질을 해 주었다. 정원에 핀 백일홍이 시들어 가는 듯하니 슬슬 이 더운 계절도 끝날 것이다.

11월 7일

창고 안에서 베니코와 함께 있을 때 내가 자주 '새색시 인형'을 흥얼거리는 것을 깨달았다. 붉은 후리소데*를 입고

* 일본의 전통 여성용 예복. 기모노 가운데 가장 화려하고 소매 폭이 넓고 길다.

울고 싶어도 울지 못하는 새색시 인형.

나는 평소대로 베니코를 인형처럼 무릎 위에 올리고 보드라운 몸을 살살 쓰다듬었다. 그렇게 가끔 한 시간 두 시간 쓰다듬는 날도 있지만 오늘은 베니코가 눈물을 똑똑 흘려서 중간에 그만두었다. 입술로 눈물을 훑고 어여쁜 손거울을 쥐이고 거울과 같은 무늬의 예쁜 빗으로 짧은 머리카락을 빗겨 주었다.

가을이 깊어서 창고 안도 제법 춥다. 베니코의 손을 내 옷 안쪽으로 가져와 맨살에 손바닥을 닿게 한다. 다리는 두 팔로 감싸고 숨을 호오 불어 줬다. 특히 쉽게 차가워지는 몸의 끝부분, 손가락과 발가락, 귓불은 시간을 들여 하나씩 입에 머금었다.

너무도 소중한, 나의 아름다운 인형. 차라리 진짜 인형이었으면 더 좋았을까.

어제 오랜만에 고미야 거리를 걷고 있으니 시치고산*에 온 사람들이 많이 눈에 띄었다. 베니코도 전에는 축복받았을 것이다. 그리고 언젠가 성인이 된다. 그날을 떠올리자 기

* 3세, 5세, 7세가 되었을 때 아이들의 성장을 축하하는 일본 전통 행사.

분이 암담해졌다. 가을에는 툭하면 이렇게 감상적이 돼 버려서 큰일이다.

2월 5일

잠든 채로 몸을 뒤척일 때마다 큼지막한 가슴이 흔들리던 내 어머니는 풍만한 여자였다. 그러나 나는 육감적인 몸에 매혹되기는커녕 오히려 혐오감을 느꼈다.

베니코의 몸은 다르다. 가냘프고 보들보들해서 청결한 느낌이 든다. 베니코에게 기모노를 입힐 때 나는 일부러 허리띠를 살짝 졸라맸다. 그러자 빈약한 가슴 아래에서 새하얀 뼈가 맞부딪히는 소리가 들리는 듯했다. 나는 그 소리를 듣고 싶어서 허리띠를 조이며 가슴가에 귀를 바짝 갖다 붙였다. 이따금 손으로 목을 누르며 맑고 청아한 혈관의 맥동을 손가락으로 즐길 때도 있다. 베니코의 무구한 헐떡임은 교태와 쾌락을 아는 여자는 결코 흉내 내지 못한다.

어젯밤부터 내리는 눈이 세상 모든 소리를 흡수해 이 일대에는 정적이 감돌고 있다. 남천 열매가 떨어지는 소리조차 들릴 듯한 고요함이다. 겨울이야말로 베니코의 소리를

**즐기기에 알맞은 계절이다.**

**나는 그저 이 황홀한 날이 되도록 오랫동안 이어지기를 기도할 뿐이다.**

*

나는 행복의 절정에 있었다. 지금껏 내가 행복이라고 느꼈던 것은 뇌가 무의식적으로 추구한 대체품이었다. 리오와 마지막으로 만난 게 언제일까. 동아리 활동에 참석한 날과 마지막으로 영화 본 날도 기억나지 않는다. 그런 것들로 나 자신을 속여 온 시절로는 이제 두 번 다시 돌아갈 수 없다.

이 행복을 영원히 누리려면 어떡해야 할지 고민하기 시작했다. 언젠가 소녀는 소녀를 벗어난다. 매끈한 어린나무 같은 몸에 군살이 붙고 송충이처럼 볼썽사나운 털이 자랄 것이다. 순진무구한 영혼도 의심과 허영, 교활과 뻔뻔함을 두르고 추하게 부풀어 오를지 모른다. 소녀가 여자로 전락하면 나는 어떡해야 할까.

그럴 때 아버지와 식사 약속이 잡혔다. 5월이 되어 날

씨가 좋고 골든위크*도 끝나서 인파가 줄었으니 시설에 있는 할아버지를 찾아가 셋이 함께 식사를 하는 게 어떻겠냐고 했다. 나는 할아버지에게 친근감을 품고 있었으니 순순히 알겠다고 하고 일요일 3시에 시설에서 만나기로 했다.

할아버지가 입소한 '양지 요양원'은 할아버지의 집과 같은 가미쿠라시에 있다. 내가 창고를 나가려고 하자 뒤에서 흐느끼는 소리가 들렸다. 처음에 잘 타이른 덕에 끙끙대거나 날뛰지는 않지만 가끔 이렇게 안개가 주변을 적시는 듯한 울음소리를 낸다.

"새색시는 왜 금란** 허리띠를 조이며 흐느끼는가."

'새색시 인형' 가사가 입에서 흘러나왔다. 그러자 딸꾹거리는 소리가 한 번 들리더니 울음소리가 멎었다.

"맛있는 과자 사 올게."

나는 자상하게 미소 짓고 창고를 나갔다. 외문과 야문을 합쳐 총 네 개의 자물쇠를 채우고 조개껍데기 열

* 일본에서 4월 말에서 5월 초에 걸친 1년 중 휴일이 가장 많은 주간.

* 황금색 실을 섞어서 짠 바탕에 명주실로 봉황이나 꽃의 무늬를 놓은 비단.

쇠고리에 달린 열쇠 두 개는 청바지 주머니, 막대 자물쇠를 여는 L자형 열쇠는 아무리 성가셔도 일일이 안채 현관에 보관한다. 도움을 청하는 소리나 벽과 문을 두드리는 소리가 창고 밖으로 새어 나갈 염려는 없다.

요양원에서 오랜만에, 아니 내 느낌상으로는 처음 만나는 할아버지는 지나치리만큼 눈빛이 맑은 사람이었다. 이제는 세속의 모든 것이 눈에 비치지 않아서일 것이다. 나를 빤히 바라보며 입술을 우물거리지만 무슨 말을 하는지, 그것이 의미 있는 말인지도 알 수 없다. 아버지에게는 무관심했다. 요양 보호사는 할아버지가 가끔 정신이 돌아오실 때도 있다며 딱한 듯이 말했다. 그럴 때는 의사소통도 가능하다고 했다.

저녁 식사 예약 시간에 맞춰 아버지의 차를 타고 시설에서 나왔다. 할아버지는 허리가 꽤 나아졌는지 지팡이를 짚지 않았고 차 뒷좌석에 탈 때도 부축하지 않아도 되었다. 약간 망설이다가 할아버지 옆에 앉은 나는 주머니 속 열쇠를 가만히 쓰다듬었다. 창고에 있을 때가 오히려 할아버지를 더 친근하게 느끼는 게 신기했다.

아버지가 예약한 프렌치 레스토랑은 유명한 곳인지 오후 6시 전인데도 주차장에 차가 몇 대 세워져 있었다.

노인에게 프렌치 요리가 괜찮을까 싶었지만 뜻밖에도 할아버지는 코스 요리를 남김없이 비웠고 포크와 나이프를 다루는 손놀림도 능숙했다.

우리와 함께 시간을 보내는 동안 할아버지는 대부분 멍해 있었고 말을 걸어도 의미 없는 소리를 내거나 횡설수설하기만 했다. 그러나 식사를 마치자마자 불현듯 "미야조노 씨" 하고 아버지를 성으로 부르더니 폐를 끼쳐서 미안하다며 고개를 꾸벅 숙였다. 예전의 정정했던 모습을 연상케 하는 말투였다.

할아버지는 계속 미안해하며 돌아갈 때 집에 잠깐 들를 수 있는지를 물었다. 나는 디저트로 나온 무스를 먹다가 하마터면 목에 걸릴 뻔했다. 할아버지가 굳이 말을 꺼내지 않아도 아버지가 집에 들렀다 갈 가능성은 충분했는데 왜 미리 대비하지 않았을까. 창고에만 가지 않으면 괜찮을까. 아니, 역시 불안했다.

"죄송해요. 이제 곧 약속이 있어서."

"그래? 그럼 아빠한테 열쇠만 주고 가라."

"다시 받으러 오기 귀찮잖아요. 할아버지도 외출 시간이 정해져 있고. 다음에 가면 되죠. 조만간 또 식사 자리를 만들어서."

나도 모르게 약간 격해진 나를 보며 아버지는 미심쩍어하는 표정을 지었다. 청소를 제대로 안 해서 집 안이 더럽다 정도로 추측하지 않을까.

"그럼 다음에 갈까."

그렇게 간신히 위기를 모면했지만 온 힘을 소진한 기분이었다. 가게를 나갈 때는 거의 넋이 나가 있었다.

이 짧은 소동이 결국 화를 불렀을 것이다. 아버지의 차를 타고 가미쿠라역에서 혼자 내린 나는 소스라치게 놀랐다. 별생각 없이 주머니에 손을 넣었는데 그곳에 있어야 할 물건이 손에 닿지 않았다. 황급히 몸 이곳저곳을 뒤지며 주머니를 통째로 잡아 빼서 확인했다. 주변 바닥을 유심히 살피고 여기저기 둘러보기도 했지만 역시 없다.

부랴부랴 아버지에게 전화를 걸었다. 운전 중이라 통화 연결음만 들리다가 결국 세 번째가 돼서야 아버지는 느긋하게 전화를 받았다.

—다케루냐? 방금 할아버지를 시설에 바래다드리고 가는 길이다. 요양 보호사가 할아버지 얼굴이 아주 좋아졌대.

"아버지! 차 안에 두고 온 게 있는 것 같아요."

—응? 뭘 그렇게 당황해? 뭔데?

식은땀이 관자놀이를 타고 주르르 흘렀다.

"열쇠."

—열쇠? 무슨 열쇠?

"제가 사는 집 열쇠요."

—뭐? 큰일이네. 잠깐만 기다려라. 지금 보고 올게.

기도하는 심정으로 스마트폰에 귀를 대고 있었지만 잠시 후 들려 온 것은 아버지의 아쉬워하는 목소리였다.

—시트 사이랑 매트 아래까지 다 뒤졌는데 없더라. 혹시 레스토랑에 두고 왔을 수도 있으니 전화해 볼까?

"아뇨. 제가 걸어서 확인해 볼게요. 정 못 찾으면 관리실에 말하면 열어 주니 너무 걱정 마세요."

낙관적인 척하느라 애를 먹었다. 그렇다. 아파트 문은 관리실에서 열어 줄 수 있다. 그러나 내가 잃어버린 것은 그 창고의 열쇠다. 미리 복사해 둔 것은 없다. 열쇠 같은 중요한 물건은 할아버지의 정신이 온전했을 때 아버지가 전부 확인했다고 들었다.

곧장 레스토랑에 전화를 걸었다. 직원이 주차장까지 가서 확인했지만 역시 없다고 했다.

"혹시라도 나오면 몇 시든 상관없으니 연락해 주세요."

무심코 숙인 고개를 좀처럼 들 수 없었다. 하마터면 그 자리에 주저앉을 뻔했다. 바로 몇 시간 전까지 행복의 절정에 있었지만 지금은 두 발로 딛고 선 땅이 무너져 나락으로 떨어진 느낌이었다.

앳된 흐느낌이 귓가에서 들리는 듯했다. 이대로 만약 열쇠를 찾지 못하면 나는 창고에 들어가지 못하고 그 아이는 먹을 것을 얻을 수 없다. 오늘 저녁밥과 마실 물은 두고 왔지만 그걸로 얼마나 버틸 수 있을까.

역을 오가는 사람들의 어깨에 부딪히고 혀를 차는 소리를 들어 가며 필사적으로 기억을 더듬었다. 요양원에서 레스토랑으로 가는 차 안에서 주머니 속 열쇠를 만졌던 기억이 난다. 잃어버린 건 그 이후다.

나는 안절부절못하고 레스토랑에 돌아가 주차장 입구까지의 길을 연신 두리번거리며 돌아다녔다. 스마트폰 플래시 불빛으로 땅을 샅샅이 비추며 열쇠를 찾았다. 그러다가 퍼뜩 역무원에게 물어야겠다는 생각이 떠올라 역까지 뛰어갔다.

역무원은 내게 파출소에 가 보라고 했다. 그 말을 듣고 나는 눈을 부릅떴을 것이다. 그렇다. 뭔가를 잃어버리면 보통은 파출소에 간다. 어린아이도 아는 지식이다.

그것을 머릿속에 새겼지만 제일 마지막이 돼서나 선택할 방법이다. 가까운 커피숍에 들어가 반팔 티셔츠 위에 걸친 얇은 재킷을 벗었다. 일단 마음을 가라앉히자. 아이스커피를 단숨에 절반 정도 비우고 스마트폰을 집어 들었다. 리오에게서 문자가 와 있었지만 무시하고 검색을 시작했다.

열쇠 없이 야문과 외문을 여는 법. 전문 업자에게 부탁하면 열 수는 있겠지만 안에 소녀가 감금돼 있는 마당에 제삼자에게 시킬 수는 없다. 어떻게든 스스로 해결해야 한다.

우선 야문. 두꺼운 금속문이라 힘으로 여는 것은 아무리 생각해도 무리다. 도구를 써서 자물쇠를 여는 건 그나마 기대할 만하지만 딤플 자물쇠는 기존의 톱니 모양 열쇠를 꽂는 자물쇠에 비해 열기 어렵고 기술을 습득하는 데만도 시간이 상당히 걸린다고 한다. 그렇다면 차라리 자물쇠를 부수는 건 어떨까. 그러나 수많은 사이트를 돌아다니는 동안 문제는 딤플 자물쇠가 아니라 야문에 달린 또 다른 다이얼식 자물쇠라는 것을 알게 됐다. 할아버지 창고에 달린 다이얼식 자물쇠는 업무용 금고에 쓰이는 것과 똑같았다. 이런 타입의 다이얼식 자물쇠에는 리록킹 장치가 있다. 쉽게 말하면 비상용 재잠금 장치. 다이얼식 자물쇠가 부서지거나 무리한 힘을 가하면 자동으로 자물쇠가 다시 잠기는 장치라고 한다. 그러면 더욱더 자물쇠를 열기 어려워진다. 리록킹 장치가 어떤 조건에서 작동하는지는 알 수 없었다. 다이얼식 자물쇠를 부술 필요는 없겠지만 같은 문에 달린 딤플 자물쇠를 부술 때 충격 때문에 리록킹 장치가 작동할 수도 있지 않을까. 아무리 검색해도 거기까지는 나오지 않았다. 리스크가 있는 이상 이 방법은 쓸 수 없다. 심지어 외문 자물쇠는 문짝 안에 파묻혀 있어서 소녀가 안에서 열 수도 없다.

끈질기게 검색했지만 결국 스마트폰을 탁자에 내던지고 머리를 감싸 쥐었다. 속수무책이다. 시간제한이 있는 상황에서 아마추어는 손쓸 도리가 없다. 역시 열쇠를 찾는 수밖에 없을까.

그야말로 엄중한 보안 수준에서 예전 할아버지의 성격이 엿보이는 듯했다. 느긋하게 프렌치 요리를 즐기는 얼굴이 떠올라 공연히 화가 치밀었다.

그때 아버지가 전화를 걸어 와 차 안을 다시 한번 뒤졌지만 없었다고 했다. 나는 열쇠를 찾았고, 가방에 넣어 두고 깜빡하고 있었다고 거짓말을 했다. 아버지는 그럼 빨리 연락했어야지 하고 화를 냈지만 아들의 서툰 연기를 눈치채지는 못한 듯했다.

전화를 끊고 또다시 머리를 감싸 쥐고 멍하니 있었다. 다른 손님들이 힐끔거리는 게 느껴졌지만 자세를 가다듬을 힘도 없다.

눈을 꾹 감고 붉은 꽃을 떠올렸다. 나는 지금 나락의 밑바닥에 있다. 그러나 그 꼭대기에는 붉은 꽃이 피어 있다.

눈을 뜨고 시계를 봤다. 날이 새기를 기다렸다가 인적이 드문 시간대에 빛이 있는 곳에서 다시 한번 찾아보자. 그래도 역시 안 나오면 최후의 수단에 의지할 수밖에 없다.

그렇게 지금 나는 가미쿠라역 앞 파출소로 향하고 있다.

손목시계에 표시된 날짜와 시간은 5월 15일 오전 9시. 원래라면 더 일찍 여길 왔어야 했다. 경찰의 힘을 빌려도 즉시 열쇠를 찾을 수 있으리라는 보장은 없으니까. 그런데도 주저하고 망설이다가 결국 이렇게 돼 버렸다.

작은 교토라고 불리며 도심부에서 가까운 가미쿠라 시는 늘 관광객으로 북적인다. 화창한 5월의 아침, 평일인데도 역 앞에는 사람이 제법 많다. 파출소도 분주해 보이고 밖에 서서 길을 안내하는 젊은 경찰 앞에는 이미 사람들이 줄지어 있다.

이 방법뿐이다. 나 자신을 격려하며 파출소 문으로 다가가자 마침 안에서 할머니 한 명이 나오는 참이었다.

“고마우이. 덕분에 아들한테 잔소리를 듣지 않아도 되겠어. 우리 아들도 가노 씨처럼 좀 싹싹하면 좋을 텐데.”

“에이, 무슨 말씀이세요. 듣기로는 자랑할 만한 아드님이던데. 아무튼 조심해서 돌아가세요.”

파출소 안에는 경찰 한 명이 책상에 턱을 괸 채 한 손을 휘휘 흔들고 있다. 나이는 아마 40대 초반, 아니면 좀 더 젊을까.

내가 순서를 기다리는 줄 알았는지 할머니는 “아이고, 미안해요” 하고 웃으며 말했다. 친한 친구와 차라도 마시며 잡담을 즐기다가 온 듯한 씩씩한 모습이다. 나는 약간 초조해져서 고개를 살짝 숙이고 가노라는 이름의 그 경찰을 향해 말했다.

“저, 죄송합니다.”

"네. 무슨 일이에요?"

가노는 붙임성 있게 나를 맞았다. 싱글벙글 웃는다기보다 실실거리고 있다. 표정과 말투 모두 어디 나사가 하나 빠진 것 같고 경찰모 밖으로 삐져나온 머리카락이 경찰관치고는 길다. 얼굴도 그럭저럭 잘생겨서 왠지 경박한 느낌을 줬다.

어디에나 있는 파출소 순경 아저씨다. 나는 가노를 넌지시 관찰하며 스스로 되뇄다. 능력이라 봐야 참을성 있게 노인들을 상대해 주는 것 정도고 범죄자를 알아보는 눈썰미 따위 없다. 내가 어린 여자아이를 유괴한 사람이라고는 눈치채지 못할 것이다. 애초에 그곳은 이바라키고 여기는 가나가와이니 관할도 다르다.

"혹시 여기 열쇠 하나 안 들어왔나요?"

"응? 저런, 열쇠를 잃어버렸어요?"

예상대로 가노는 아무 의심 없이 나를 파출소 안으로 들였다. 팔꿈치 위까지 소매를 걷어붙이고 턱을 괸 채로 다른 손으로 맞은편에 있는 간이 의자에 앉으라고 했다.

"언제?"

"어젯밤에."

나는 그대로 서서 대답했다. 뭐라고 할지는 이미 외워 왔다.

"히가시가미쿠라에 있는 '그린 불' 레스토랑, 또는 거기 주차장, 아니면 가미쿠라역 동쪽 출구 주변에서 떨어뜨린 것 같습니다."

"그린 불이라. 나도 알아요. 프렌치 레스토랑이죠? 가 본 적은 없는데, 맛있어요?"

생각지도 못한 질문에 이다음 입에 담으려 한 말 대신 "아, 네. 맛있더군요" 하고 정중하게 대답했다. 그런 건 군이 안 물어도 되잖아.

"차를 타고 갔는데."

"이야, 좋겠다. 나도 가끔은 맛있는 것 좀 먹고 싶은데."

"차를 타고 갔는데 차 안에는 없다고 하니 아마 차에서 내린 이후에 떨어뜨린 것 같습니다."

"아, 혹시 잡담은 싫어해요?"

"레스토랑에 물어보기는 했는데."

"일단 좀 앉아요."

가노는 쓴웃음을 지으며 책상에 A4 크기 종이를 내려놨다. 맨 위에 '분실물 신고서'라고 적혀 있다.

"이것 좀 써 줘요. 저 아무개는 언제 어디서 이런이런 걸 떨어뜨렸습니다, 라고 신고하는 거예요."

"급합니다. 여기 열쇠 들어온 거 없나요?"

"서류를 안 쓰면 못 알려 줘요. 그쪽이 그렇다고 생각하지는 않지만 세상에는 못된 녀석들도 많아서 잔머리를 잘 굴리거든요."

말하다가 말고 나는 펜을 쥐어 들었다. '분실인', '분실 날짜', '분실 장소' 등의 항목을 채워 간다.

"미야조노 다케루 씨라. 근데 뭐가 그렇게 급해요?"

아무도 들어가지 못하는 창고에서 버려진 인형처럼 외로이 누운 소녀의 환상이 떠올랐다. 하필 오늘은 가만히 있어도 땀이 날 정도로 더운 날씨다. 그 안은 시원하다고 해도 물이 아직 남아 있을까. 오늘 아침도 먹지 못했다.

"열쇠를 잃어버렸습니다. 누구든 급하겠죠."

"어디 열쇤데요?"

마침 '분실물' 칸에 '열쇠'라고 적을 때였다. 옆에 '특징 등'을 적는 큼지막한 네모 칸이 있다. 잠시 손을 멈추고 떠올렸다. 모든 걸 이렇게 순순히 적어도 되는 걸까.

"아, 거기는 특히 자세하고 구체적으로 적어야 해요. 그림 같은 걸 그려도 좋고요. 잃어버린 건 자전거 열쇤데 벤츠 열쇠라고 우기면 곤란하니."

꼭 의심하는 듯한 말투에 나도 모르게 눈을 치뜨고 가노의 표정을 살핀다. 걱정할 필요는 없어 보인다. 나는 두 개의 열쇠와 열쇠가 달린 열쇠고리의 특징을 솔직히 적고 간략한 그림을 덧붙였다.

"이야, 빈티지 취향의 열쇠고리네. 실례지만 다케루 씨, 나이가?"

"스물입니다."

"대학생?"

"네."

"어디?"

현 안에 있는 국립대학 이름을 입에 담자 가노는 흐음, 하고 감탄한 것처럼 신음했다.

"잘생긴 데다가 머리까지 좋다니. 이 주소는 본가?"

"아뇨. 혼자 삽니다."

"본가는?"

"도쿄 하치오지."

"하지오지라면 그냥 거기서 다녀도 될 텐데 굳이 요코하마에 있는 아파트를 얻고 주말에는 프렌치 레스토랑에서 디너라니, 우아하기도 하셔라. 응, 다케루 씨 같은 대학생은 절도나 보이스 피싱 사기 같은 것과는 전혀 무관하겠지."

일부러 비아냥거리는 게 아니면 나를 바보 취급 하는 걸까. 고개를 들자 가노는 내 반응을 즐기는 것처럼 실실거리며 나를 바라보고 있다.

"아니, 요즘 되게 많아서 그래. 젊은이들 사이에 그런 범죄가. 그래서, 그게 무슨 열쇤데?"

말투에 변화라고는 없어서 무심코 흘려들을 뻔했다. 가노는 신고서의 '특징 등' 칸을 손으로 눌렀다. 손가락이 상당히 길다. 꼭 늘어난 것처럼 보인다.

"무슨 열쇠인지를 안 적었잖아. 둘 다 적어 줘."

펜을 고쳐 쥐는 손동작이 마음보다 굼떴다. 사실대로 적어야 할까. 아니면.

"무슨 문제라도?"

"딤플 키는 할아버지 댁 열쇠인데 또 하나는 모르겠어요."

"오, 할아버님 댁 열쇠. 그래서 열쇠고리가 그랬군. 과연. 모른다는 건 무슨 말?"

"할아버지께서 치매 환자라 요양 보호 시설에 계셔서 빈집을 제가 가끔 확인하고 있어요. 그래서 열쇠를 받았는데, 또 하나의 열쇠는 어디 열쇠인지 아무도 모른대요. 지금껏 별문제는 없어서 그냥 내버려 두고 있습니다."

"할아버님 상태가 많이 안 좋나?"

"저도 못 알아보세요."

"집 안에 이 오래돼 보이는 열쇠가 들어갈 만한 곳은 없어?"

"구석구석 살폈지만 80년대에 집을 리모델링했대요. 열쇠는 그전에 쓰던 것 같아요."

"집 안에 열쇠를 꽂을 만한 곳이 없다. 그나저나 그 재킷은 좀 벗는 게?"

그제야 내가 땀을 뻘뻘 흘리고 있는 것을 깨달았다. 재킷을 벗고 반팔 티셔츠 차림으로 "오늘은 유독 덥네요"라고 변명하듯 말했다. 그리고 속으로 곧장 '너무 연기 티가 났나' 하고 후회했다. 아니, 괜찮다. 가노는 파출소 순경 아저씨에 불과하다. 지금도 나를 수상해하는 낌새는 전혀 없지 않은가.

"그런데 뭐 잃어버린 게 빈집 열쇠면 다행 아니야? 당장 곤란할 일도 없을 테고."

속으로 가슴을 쓸어내리는 것도 잠시 이번에는 다른

의미로 혀를 잘 뻔했다. 급하다고 한 말을 못 들은 걸까.

“곤란합니다. 누가 열쇠를 주워 갈지도 모르잖아요.”

“그 주운 사람이 집에 들어갈까 봐 걱정된다는 말? 뭐, 빈집에 들어가 약을 하거나 대마를 키우는 사례가 아예 없는 건 아니지만. 그래도 빈집 리스크는 열쇠가 있고 없고와는 관계없지. 창문을 깨고 들어가도 될뿐더러 굳이 들어가지 않아도 방화나 시체 유기 같은 건 할 수 있을 테니.”

갑작스럽게 시체라는 단어가 튀어나와서 숨이 턱 막혔다. 이대로 끝까지 열쇠를 못 찾으면 시체를 볼 각오도 해야 한다. 살아 있어 주기를 진심으로 기원하지만 그 가능성도 줄곧 머릿속 한구석에 있었다.

가노는 역시나 장난치는 것처럼 히죽히죽 웃으며 나를 보고 있다. 무능한 데다가 진지함이라고는 찾아볼 수 없는 남자다.

“꼭 그런 일이 아니더라도 그냥 집 자체가 걱정됩니다. 할아버지 댁에 값나가는 물건도 좀 있는 것 같고요.”

“무슨?”

“골동품요. 저는 가치를 잘 모르지만.”

“오, 아쉽지만 나도 그런 건 잘 몰라.”

당연히 그렇겠지, 하고 속으로 대꾸했다. 그런 종류의 풍류와는 담을 쌓고 지내는 사람처럼 보인다.

"뭐 열쇠를 주워 가도 주소를 모르면 소용없으니 걱정할 필요 없을 것 같은데. 여벌 열쇠는 있나?"

"없다고 들었습니다."

"그럼 사라진 그 열쇠를 찾지 못하는 한 다케루 씨는 할아버지 댁에 못 들어간다는 소리네."

"네. 그래서."

말을 집어삼키고 거칠어질 뻔한 목소리를 억누른다. 초조해하는 나와는 정반대로 가노는 느긋하게 경찰모를 벗어 들어 얼굴에 부채질을 하고 있다.

"어쩔 수 없네. 그럼 일단 업자한테 부탁해서 열어 달라고 하고 상황을 봐서 자물쇠를 교체하는 게 빠르고 안전하지 않을까?"

아픈 곳을 찔렸다. 만에 하나라도 표정을 읽을 수 없도록 고개를 숙인다.

"그 말씀은 지금까지 이 파출소에 들어온 열쇠가 없다는 말인가요?"

"아니. 그건 모르지. 여기엔 안 들어왔어도 옆 파출소에 들어왔을 수도 있고."

정말 눈치라고는 없는 대답이다.

"확인할 수는 없나요?"

"할 수 있지."

"그럼 얼른."

무심코 몸을 앞으로 뻗으려고 고개를 들었다가 가노와 눈이 마주쳤다. 미소를 머금은 눈으로 나를 지그시 바라보고 있다.

"그렇게 해 주고 싶은 마음은 굴뚝같은데, 각 파출소에 접수된 분실물은 일단 서에 보낸 다음 데이터베이스에 입력하거든. 그전까지는 검색해 봐야 나오지도 않아."

"언제쯤 나오나요?"

가노는 글쎄, 라는 듯이 어깨를 으쓱했다. 나는 천장을 보며 가쁜 숨을 내쉬었다. 경찰이 시민을 이렇게 대충 응대해도 되는 걸까.

"실은 문제가 골동품만은 아닙니다."

나는 과감하게 나서기로 했다.

"집 안에 고양이가 있어서요. 환기하는 동안에 갑자기 튀어들어 와서 키우게 됐다고 할까, 좀 돌봐 주는 동안에 어느새 집에 눌러앉아서."

"고양이가 지금 그 집 안에 갇혀 있다는 말?"

"사료도 거의 다 떨어졌을 거라……."

말끝을 흐리고 입술을 꾹 다문다. 진실에 가까운 만큼 이런 말은 하고 싶지 않았지만 이렇게라도 하지 않으면 움직여 줄 것 같지 않았다.

"이런, 이런. 그런 건 일찍 말했어야지."

"동네에 길고양이에게 먹을 걸 주지 말라는 포스터가 붙어 있거든요. 저도 모르게 뒤가 켕겨서 그만……."

살아 있는 동물의 목숨이 걸렸다는 것을 알게 되자 가노도 이대로 있어서는 안 된다고 판단한 듯했다. 지금 당장 데이터베이스를 검색해 줄 줄 알았는데 그는 책상 위에 있는 전화기로 손을 뻗었다.

"지금 바로 업자를 찾아볼게."

"잠깐만요."

나는 깜짝 놀라 그가 든 수화기를 붙들었다. 나도 모르게 커진 목소리에 당황해 뒤잇는 목소리가 급격히 다시 작아졌다.

"……집주인은 제가 아니라 할아버지시니 그렇게 멋대로 해서는……."

"하지만 할아버지가 그런 상태라 허락을 받을 수도 없잖아."

"그럼 일단 아버지와 상의라도 해 봐야……."

"응? 아버지께 아직 말 안했어?"

손바닥에서 진득한 땀이 배어났다. 이대로 있다가는 수화기가 젖을 것 같아서 손을 다시 무릎 위로 내렸다.

"오늘 아침에야 열쇠를 잃어버린 걸 깨달아서 전화해 봤는데 받지 않았어요. 아마 회사에서 일하시느라 모를 거예요."

"지금 다시 한번 걸어 보면?"

"아뇨. 일하시느라 못 받는다니까요."

"회사에 전화해서 바꿔 달라고 할까?"

"그렇게까지는."

가노는 고개를 살짝 갸웃했다. 웃는 얼굴 그대로 눈 한쪽이 경찰모 아래에 가려진다.

"다케루 씨는 뭔가 좀 이상하네."

"……뭐가 말이죠?"

"정말로 집 문을 열고 싶은 건지 아닌지 잘 모르겠어."

"그야 당연히 열고 싶죠."

"그런데 업자를 부르기는 싫다."

"싫은 게 아니라 아버지가 일하시는 걸 방해할 정도는 아니라는 뜻이에요."

"급하다며?"

"그건 아저씨께서 너무 느긋해서."

무릎 위에서 쥔 주먹이 돌처럼 굳었다.

"아, 그런가. 그건 미안."

가노가 순순히 인정했을 때는 몸속에 있는 공기를 전부 내뱉고 그 자리에서 쓰러질 뻔했다. 이 남자가 똑똑하지 않아서 정말 다행이라고 생각했다.

"일하시는 걸 방해하고 싶지 않다니, 효자네."

나는 마음을 가다듬고 허리를 꼿꼿이 세웠다.

"그건 아니에요. 물론 제가 중학생 때 어머니가 돌아가시는 바람에 그 뒤로 아버지께서 절 혼자 키워 주셔서 감사하고는 있지만."

"할아버님은 그 아버지의 아버지?"

"아뇨. 외할아버지예요."

어머니의 친아버지가 아니라 할머니의 재혼 상대라는 것까지 굳이 이야기할 필요는 없어 보인다. 아니, 냉정히 생각하면 애초에 이런 말도 안 되는 대화를 이어갈 것도 없다. 그러나 이렇게 툭툭 던지는 질문에 대답하지 않거나 괜히 화제를 돌리면 의심을 살 것 같았다.

"아, 혹시 할아버님이 이 동네에 사시나?"

"그게 무슨 말씀이시죠?"

"잘 생각해 보니 할아버님 댁 열쇠를 용건도 없이 갖고 다닐 일은 없잖아. 어제 그 집을 찾았거나 곧 찾을 생각이었으니 갖고 있지 않았을까 싶어서."

여기서는 정직하게 대답해야 한다고 직감했다.

"가미쿠라예요. 어제는 할아버지 댁에 들렀다가 함께 식사를 했어요."

"가미쿠라 어디?"

"혼마치 고다이 부근이요."

"오, 그렇군, 그래. 경사가 심해서 노인분들한테는 힘든 곳이지. 나도 가끔 순찰을 돌 때마다 오토바이의 위력을 몸소 느끼고 있어."

순찰. 순간적으로 몸이 굳었다. 무언가 터무니없고 돌이킬 수 없는 실수를 저지른 것 같지만 그게 정확히 뭔지 몰라 머릿속이 뒤죽박죽되기 시작했다.

"아 참, 신고서의 참고란에 할아버님 성함과 집 주소도 적어 줘. 원래 열쇠 주인은 할아버님이니."

할아버지의 거주지를 물었을 때 직감에 따른 것이 정답이었다. 혼란 속에서 그것만은 확실히 깨달았다. 만약 그때 거짓말을 했다면……. 잠깐, 설마 가노는 그걸

노린 걸까. 머리를 스친 발상에 흠칫 놀랐다. 스마트폰에 등록된 할아버지의 집 주소를 확인하며 가노를 넌지시 살핀다. 아니, 그럴 리 없다. 순찰이라는 단어의 임팩트가 너무 강해서 지나친 경계심이 고개를 들었을 뿐이다.

"오, 할아버님이 후지키 씨였어?"

내 손 쪽을 보고 있던 가노가 대뜸 큰 소리로 물었다. '후지키 다쓰야'라고 적다가 글자의 마지막 획이 어긋났다.

"아세요?"

심장이 뛰는 소리가 갈비뼈까지 울린다. 혹시 방금 내 목소리가 떨리지 않았을까.

"말했잖아. 순찰을 돈다고. 전에 학교 교장 선생님이었던 후지키 씨 맞지? 난 여기 온 지 얼마 안 됐지만 동네를 잘 아는 분들이 후지키 선생님 이야기를 종종 하더라고. 사람이 나이 들면 어떻게 될지 정말 모른다면서."

나는 제대로 맞장구치지 못하고 그저 펜만 쓱쓱 움직였다. 글씨체가 내 것 같지 않다.

"응? 그런데 이상하네. 후지키 씨 댁에는 정원에 창고가 있을 텐데."

가노가 긴 손가락을 앞으로 뻗어 내 숨통을 꾹 조인다. 물론 착각이지만 정말로 그렇게 느꼈다.

"아까 오래된 열쇠가 맞을 만한 곳이 없다고 했는데, 왠지 창고 문 열쇠 같지 않아?"

"……듣고 보니 그러네요. 생각도 못 했습니다."

목소리를 짜낼 때까지 얼마나 시간이 걸렸을까. 기도가 막힌 것처럼 숨쉬기가 힘들다.

"구석구석 찾아봤다고 했지?"

"정원까지 다 보지는 못했어요. 그렇게 자주 갔던 것도 아니라."

"고양이가 있는데도?"

입을 열었지만 말이 나오지 않는다. 아까부터 뭔가 큰 실수를 저지른 것 같았는데 그게 뭔지 깨달았다. 전부다. 가노 앞에서 말하고, 말하게 된 모든 것.

"길어 봐야 사오일밖에 못 버틴다던데."

어느새 멈춰 있던 펜 끝이 엇나가 신고서 한쪽이 검게 찢겼다. 변함없는 목소리와 말투로 말하는 가노가 어떤 표정을 짓고 있는지 무서워서 고개를 들 수도 없다.

"먹을 건 둘째 치고 물 없이는 그 정도가 한계래. 탈수 때문에 혈액순환이 안 돼서 전신 기능에 장애가 생긴다는군. 다행히 난 경험이 없지만 두통에 경련, 의식 혼탁까지 대단하네. 몸속 수분의 20퍼센트만 잃어도…….”

가노가 의미심장하게 말을 끊었다. 나는 어금니를 꾹 깨물고 귀를 틀어막고 싶은 것을 간신히 참고 있었다. 고양이가 아니다. 내 상상 속에서, 어쩌면 가까운 미래에 실제로 그런 무참한 죽음을 맞이할 상대는 고양이가 아니다.

“아, 이건 인간 이야기야. 그보다 작은 생물이면 더 짧지 않을까?”

각진 얼음덩어리가 목에 박힌 것 같았다. 인간. 그보다 작은 어린아이. 시선을 어디로 돌려도 고통스러워하는 소녀의 환상이 눈앞에 나타난다.

“할아버님 댁에 한 달에 몇 번이나 가?”

조사하면 알 수 있을 것이다. 솔직히 대답할 수밖에 없다.

“한 달에 한 번 정도.”

“뭐야. 그럼 물과 사료도 한 달 치는 있다는 말이네. 거의 떨어졌을 거라더니.”

“다음번에는 좀 더 일찍 가려고 했거든요. 요새는 날씨도 더우니.”

"차로 가나?"

"아뇨. 전철 타고 걸어서."

"어제 차를 타고 '그린 불'에 갔다고 한 건?"

"아버지 차예요. 전 차가 없습니다."

"면허도?"

"면허는 있기는 한데."

"값비싼 신분증으로 쓰나 보네."

익살스럽게 말하는 가노에게 어떻게 반응해야 좋을지 알 수 없었다. 인정하고 싶지 않지만 가노는 지금 어떤 용의로 나를 의심하는 듯하다. 처음에 말한 절도나 사기일까. 그러나 나는 그런 짓은 저지르지 않았고 이렇게 장난스러운 태도를 보면 진짜로 의심하는 것은 아닐 수도 있다. 아니면 의심받는다고 느끼는 것 자체가 내 착각일까.

가노가 신고서를 손으로 가리켰다.

"다 쓰면 거기 서명해 줘."

"아, 네."

내 대답이 얼마나 얼빠지게 들렸을까. 느닷없이 찾아온 해방. 의심도 풀렸다는 뜻일까. 결국 나 혼자만의 착각이었던 듯하다. 이 순경 아저씨는 아무것도 눈치채지 못했다. 남몰래 조용히 숨을 내쉰다. 온몸의 근육이 조금씩 이완됐다.

서명하는 동안 가노는 메모지를 가져와 뭔가를 적었다. 그리고 신고서를 집어 쓱 한 번 보더니 메모지와 겹쳐 들고 파출소 밖에 있는 누군가를 불렀다.

"어이. 밋짱."

등 뒤로 고개를 돌리자 밖에 서 있던 젊은 경찰관이 돌아보고 있었다. 키가 크고 듬직한 체격에 경찰복이 잘 어울리는 성실해 보이는 경찰이다.

"조회 좀 해 줘."

나는 화들짝 놀라 가노를 봤다. 조금 전에 말한 분실물 데이터베이스 조회를 뜻할 것이다. 드디어 조사해 주기로 한 건가.

밋짱은 가노와 사뭇 다른 느낌으로 척척 걸어와 신고서와 메모지를 받아 들고 "네" 하고 대답했다. 가노와 대조적으로 표정과 말투에도 힘이 들어가 있다.

"나이를 먹어서 그런가 컴퓨터에는 영 약하거든."

능청맞게 말하는 가노를 무시하고 안쪽 방에 들어가는 덩치 큰 사내를 향해 "잘 부탁드립니다"라고 했다. 부탁이니 빨리 조회해 줘. 그 아이의 목숨이 사그라지기 전에, 내가 살인범이 되기 전에 열쇠를 찾아 줘.

"그런데 말이야."

가노는 성가신 일을 끝마쳤다는 듯이 또다시 턱을 괬다. 나는 그쪽으로 시선을 돌렸지만 눈빛에 깃든 경멸의 기운을 감추지 않았다. 이런 녀석에게 괜히 겁먹어서 주뼛거린 나 자신에게 화가 치밀었다.

"다케루 씨한테는 가치 있는 게 뭐야?"

"네?"

"아까 그랬잖아. 골동품의 가치를 모르겠다고."

또다시 쓸데없는 잡담 상대나 해 달라는 걸까.

"가치를 어떻게 정의하느냐에 따라 다르지 않을까요?"

무뚝뚝하게 대답했지만 가노는 아랑곳하지 않고 말을 이었다.

"실은 나는 마누라랑 이혼했는데, 헤어진 이유가 바로 가치관 차이라는 거였거든. 어떤 부분이 어떻게 다른지 잘 모르겠지만 그걸 모르는 것 자체를 결국 가치관의 차이로 받아들이고 이혼장에 도장을 찍었어. 그 후로 가끔 떠오를 때마다 사람들한테 묻곤 해. 당신한테 가치 있는 게 뭐냐고."

"그러니까 그 가치의 정의에 따라 다르다니까요."

"그야 그렇지만 아주 쉽게 대답해 주는 사람들도 있더라고. 예를 들어 우리 누님은 당연히 아이들 아니겠냐고 망설임 없이 대답했어."

아이라는 단어가 신경을 휙 긁고 지나갔다. 그래서 더 냉담하게 반응했다.

"부모라면 누구나 그렇게 말하겠죠. 상투적인 말이에요."

"그런데 거의 대부분 본심이야. 이 파출소에도 가끔 아이가 사라졌다며 달려오는 부모들이 있는데 하나같이 정신이 나간 것처럼 날뛰어서 이야기를 듣기도 힘들 정도거든."

"그런가요."

별로 길게 이어 가고 싶은 대화 주제가 아니어서 나는 안쪽 방에만 신경을 기울였다. 밋짱은 아직 돌아오지 않았다. 데이터베이스 조회라는 게 이렇게 시간이 오래 걸리나.

"아이를 유괴당한 부모는 어떤 심정일까?"

파출소 안쪽 벽에 지명 수배범 포스터가 붙어 있는 것을 그제야 눈치챘다. 사진 속 여러 개의 탁한 눈빛이 나를 바라보고 있다.

포스터에서 시선을 피한 순간 가노와 눈이 마주쳤다. 간이 의자가 끼익 소리를 냈다. 길게 자란 앞머리 뒤에서 나를 지그시 바라보는 눈. 어느새 얼굴에서는 미소가 사라졌다.

뭘까, 이 눈빛은. 가슴이 조금 술렁거렸다. 파출소 앞을 수많은 인파가 오갈 텐데 내 심장 소리와 숨소리만 기이하리만치 크게 들린다.

밋짱이 돌아와 내 옆에 설 때까지 깨닫지 못했다. 가노에게 가볍게 고개를 끄덕이고 내 등 뒤로 돌아온다. 퇴로를 차단하는 것처럼.

"지금 다른 경찰들이 할아버님 댁 창고를 보러 가고 있어."

숨이 턱 막혔다. 어떻게 된 일인가. 밋짱은 분실물을 조회한 게 아니었나. 머릿속이 하얘지고 부릅뜬 눈이 메말라 간다.

책상 위에 꺼내 놓은 스마트폰 화면에 땀방울이 뚝 떨어졌다. 그러고 보니 리오에게서 온 문자를 계속 무시하고 있었다는 뜬금없는 생각이 떠올랐다. 영화를 보러 가자고 한 것 같은데 아무래도 가기 어려워 보인다.

"곧 보고가 들어올 테니 함께 기다려 보자구."

나는 눈을 질끈 감았다. 눈꺼풀 안쪽에 선명한 붉은색이 보였다.

*

2017년 5월 15일, 이바라키현에서 실종된 초등학생 여자아이가 가나가와현 가미쿠라시에서 발견, 보호 조치됐다. 아이는 12일에 납치된 후 사흘 만에 발견될 때까지 빈집 창고에 감금돼 있었던 것으로 밝혀졌다. 복장은 실종 당시에 입었던 티셔츠와 반바지 차림이었고 다친 곳 없이 건강 상태는 양호했다.

경찰은 미성년자 약취 및 감금 혐의로 가나가와현에 거주하는 20세의 대학생 미야조노 다케루를 체포했고 미야조노는 용의를 대부분 인정했다.

*

아직 늦여름 더위가 가시지 않은 초가을 오후, 가노는 파출소 오토바이를 타고 긴 오르막길을 천천히 오르고 있었다. 이 길 끝에 있는 건물은 노인 요양 시설인 양지 요양원뿐이다. 가미쿠라역 앞 파출소의 순찰 코스이기도 하다.

미야조노 다케루가 체포된 지 넉 달이 흘렀다. 이제 곧 첫 재판이 시작된다고 들었다.

전에 형사였을 때는 자신과 얽힌 사건의 재판을 최대한 방청하러 갔다. 피의자 신문이 특기라 '자백 전문 가노'라는 별명으로 불리며 주목받던 시절의 이야기다.

당시 파트너였던 하자쿠라는 현재 가나가와 현경 수사1과 계장이다. 종종 개인적으로 은밀하게 사건에 대한 정보를 전해 준다.

'이바라키 초등학교 6학년 여학생 실종 사건'도 그랬다. 수상한 남자와 렌터카 목격 정보가 들어와 이바라키 현경은 사안을 유괴 사건으로 보고 수사 중이었다. 차량 번호 자동 판독기로 통행 차량을 수사하며 렌터카를 빌린 인물을 좁혀 가고 있을 때 이번 일이 가나가와 현경과 관련 있는 것으로 판명됐다. 그 이야기를 전해 듣고 다케조노와 대화하다가 문득 머릿속이 번뜩인 것이다.

경찰 밥을 오래 먹다 보면 뭔가 숨기는 게 있는 사람

을 거의 알아볼 수 있다. 그래서 절도와 사기 같은 몇 가지 범죄를 입에 담으며 반응을 살폈다. 시체 유기라는 단어를 듣고 그가 예상치 못하게 당황하는 모습을 보였을 때는 가노가 더 놀랐다.

도발하고, 때로는 안심시키고, 다시 애태울 때마다 그는 조금씩 본색을 드러냈다. 몹시 급해 보이는 것치고는 열쇠 업자를 부르려 하지 않았다. 일하는 중인 아버지에게 일부러 연락을 삼갈 정도로 섬세한 성격의 소유자가 관계가 소원했던 할아버지의 집에서는 멋대로 고양이를 기른다고 했다. 그 모든 것이 부자연스러웠다. 그리고 가노가 고양이의 생명을 언급했을 때 미야조노는 마침내 격렬하게 동요하는 모습을 보였다. 끊임없이 시선을 이리저리 돌리고 입술 색이 파래지는 것이 고개를 숙이고 있는데도 훤히 보였다.

후지키 씨 집 창고를 의심하게 되었을 때 밋짱을 불러서 하자쿠라에게 연락하라고 했다. 나중에 들어 보니 미야조노 다케루는 이미 용의자 리스트에 올라와 있었다고 한다. 단기간에 여러 렌터카 회사에서 차를 빌려 이바라키와 가나가와를 오갔으니 그럴 만도 하다. 목격 정보 속 수상한 남자에게 이렇다 할 특징은 없었지만 다케루는 그 조건도 충족했다. 피해자 보호를 최우선으로 해 신중하게 수사하고 있을 때 다케루가 제 발로 걸어 들어온 셈이다. 하자쿠라의 지시로 수사관이 후지키 씨 집에 급파됐고, 우선 피해 아동을 보호한 후 파출소에 있던 다케루를 체포했다.

체포 이후 오랜만에 전화를 걸어 온 하자쿠라는 다케루에게 의심을 품고 소녀가 감금된 장소를 알아낸 가노를 추켜세웠다. 언짢게 들리는 낮은 목소리지만 평소에도 그렇다. 그리고 그는 역시나 평소와 다를 바 없이 말했다.

—형사로 돌아와.

가노는 "그 녀석이 자기 입으로 술술 분 거야" 하고 웃어넘겼다. 상대를 평범한 동네 순경 아저씨로 보고 무시했던 것이 방심으로 이어졌을 것이다. 매일 수많은 사람을 만나며 동네를 손바닥 들여다보듯 꿰뚫고 있는 상대를 우습게 봐서는 안 됐다.

"순경 아저씨를 얕보면 큰코다친다니까."

가노의 말에 하자쿠라는 대꾸하지 않았다.

하자쿠라는 체포 이후 상황에 대해서도 조금 설명해 줬다.

다케루는 넋이 나간 상태로 조사에 간간이 응하고 있다는 것. 여자아이를 유괴하고 감금한 동기는 '붉은 꽃을 갖고 싶어서'라고 설명했다는 것. 여자아이의 몸에 손을 대지는 않았고 그 이유에 대해서는 '좋은 기모노를 먼저 찾고 싶었다'라고 진술했다는 것.

그리고.

오토바이를 요양원 주차장에 세우고 헬멧을 벗자 상쾌한 바람이 땀에 젖은 머리를 쓸고 갔다. 덥기는 덥지만 한여름 더위와는 역시 다르다. 이 산도 조만간 붉게 물들 것이다.

가노는 접수창구에서 안내를 받아 회랑 너머 안뜰로 향했다. 전에도 몇 번 와 봤지만 안쪽까지 들어가는 건 처음이다.

유리 벽 회랑에 둘러싸인 안뜰에는 나무와 꽃이 보기 좋게 배치돼 있었다. 나무 그늘에는 벤치도 있어 입주자들이 편안히 쉴 수 있는 곳이다.

홀로 벤치에 앉아 있는 노인이 있었다. 빈손에 하는 일 없이 멍하니 나뭇가지 끝을 올려다보고 있다. 더위 때문인지 다른 사람은 없었다.

"후지키 선생님."

그가 익숙할 호칭으로 그를 불렀다. 그러나 후지키는 돌아보지 않았다. 들었는지도 알 수 없다.

가노는 후지키 옆에 서서 똑같이 나뭇가지를 올려다봤다. 무슨 나무인지는 모른다. 잎이 바람에 조금씩 흔들리고 있다.

“몸은 좀 어떤가요? 오늘은 더운데 그래도 가을이 부쩍 다가온 게 느껴지네요.”

대답이 돌아오지 않을 것을 알면서 말을 걸었다. 느긋하고 부드럽게 담소를 나누는 것처럼.

“선생님, 혹시 이거 아십니까? 꽤 오래전 일인데, 경찰이 선생님 댁 창고를 조사하니 2층에서 일기장이 발견됐다더군요. 그런데 그 일기 내용이 좀 험해서.”

이 이야기 역시 하자쿠라에게 들었다. 일기에는 창고에서 아동을 상대로 도착적인 짓을 하는 모습이 기록돼 있었다. 아이는 기모노를 입고 있었고 베니코라는 이름으로 불렸으며 기간은 간헐적이기는 해도 모두 합치면 1년에 달했다.

언뜻 보면 마치 미야조노 다케루의 범죄를 기록한 글처럼 보였다. 그러나 다케루가 납치한 여자아이의 이름은 베니코가 아니었고 아이 역시 그렇게 불린 적이 없다고 증언했다. 또한 아이가 감금된 기간은 나흘이었고 복장도 티셔츠와 반바지 차림이었다. 무엇보다 해묵은 일기장은 흘려 쓴 초서체로 적혀 있었고 누가 봐도 오랫동안 손대지 않은 게 확실해 보였다.

다케루는 여자아이에게 입힐 기모노를 찾고 있었다고 진술했다. 기모노를 찾으면 어떡할 생각이었느냐는 질문에 한 대답도 일기 속 내용과 꼭 닮았다. 수사관은 그가 오래전 이 일기를 읽었고, 따라서 영향을 받았을 거라는 의견을 제시했다. 그러나 다케루는 여덟 살이 되던 해 봄을 마지막으로 할아버지 집을 찾지 않은 게 밝혀졌다. 여덟 살 아이가 초서체 글씨를 읽었을 리도 없다.

"일기를 쓴 사람이 선생님이죠?"

가노는 후지키의 얼굴을 봤다. 주름이 많지만 반들반들한 피부에 나뭇가지 사이로 비치는 빛이 얼룩무늬를 그리고 있다. 후지키는 멀건 눈빛으로 나무를 올려다보며 눈썹 하나 까딱하지 않았다.

"해리라는 현상이 있다죠. 저도 자세히는 모르지만 인간이 엄청난 고통을 맞닥뜨렸을 때 마음을 분리함으로써 자기 자신을 지키는 일종의 방어 본능이라고 합니다. 괴로운 기억이 단번에 떨어져 나가고 마치 유체 이탈이라도 한 것처럼 자신의 경험을 객관적인 영상으로 볼 수 있다더군요. 다케루는 선생님과 선생님 댁에서 무슨 일이 있었는지 전혀 기억을 못 한다고 합니다. 그리고 일기장 속 글과 아주 비슷한 내용의 영상이 어린 시절부터 머릿속에 들러붙어 있었다고 하고요."

아마 어린 다케루는 어머니와 할머니가 함께 외출을 나가서 할아버지와 둘만 집에 남겨진 적이 있을 것이다. 후지키는 그때마다 다케루를 창고로 데려가서 추악한 욕망을 채웠다. 아이가 고분고분히 따르게 하고 입막음을 하는 것도 오랫동안 아이들을 상대해 온 교사라면 식은 죽 먹기 아니었을까. 다케루가 할 수 있는 일이라고는 마음을 분리하는 것뿐이었다. 공교롭게도 그렇게 한 탓에 자신을 후지키와 겹쳐 보고 망상을 떠올리게 됐을지도 모른다.

다케루의 어머니는 아마도 아들이 할아버지에게 그런 짓을 당하는 것을 눈치챘을 것이다. 그래서 다케루가 여덟 살이 되던 해의 봄을 기점으로 그 집과 인연을 끊었다. 할머니의 장례식에 참석하지 않은 것도 이해가 된다. 어쩌면 해리는 자연적으로 일어난 게 아니라 어머니가 아들을 치료받게 한 결과였을까.

"베니코가 바로 다케루였겠지요."

후지키는 역시나 반응하지 않았지만 가노도 기대하지 않았다. 혼잣말이나 마찬가지다.

"저도 그 창고에 가서 확인했습니다. 구조가 희한하더군요. 안에서 거는 빗장이 주문에 달려 있던데."

창고는 물건을 보관하는 곳이니 안에서 문을 잠글 일은 없다. 누군가 안에 틀어박혀서 외부인의 출입을 막는 상황을 제외하면.

빗장 상태를 통해 그것을 처음 설치한 사람이 다케루가 아닌 것은 판명됐다. 후지키가 어린 다케루와 창고에 틀어박히기 위해 안쪽에 빗장을 달았을 것이다. 늘 함께 그곳을 드나들던 후지키는 그래도 상관없었지만, 여자아이를 감금한 채로 자신은 창고를 떠난 다케루에게는 치명적이었다. 여자아이가 안에서 빗장을 걸어 버리면 자신은 안에 들어가지 못하게 되니까. 다케루는 '열지 않으면 굶겨 죽일 거야'라고 위협했다고 한다.

가노는 고개를 갸웃거리며 회랑 벽 쪽을 봤다. 유리가 빛을 반사해 잘 보이지 않지만 길쭉한 종이가 쭉 붙어 있다. 이곳 입주자들이 쓴 하이쿠*라고 하는데 후지키가 쓴 시도 조금 전 확인했다. 흘려 쓴 초서체를 간신히 해석하니 계절을 나타내는 단어가 겨울 모란인 듯했다.

"선생님의 필적과 일기장 속 필적을 대조하면 동일 인물로 판명되겠죠."

그러나 거기에는 의미가 없다. 애초에 일기장 속 내용이 사실인지 알아낼 방법이 없고 그것만으로 범죄를 입증할 수도 없다. 공소 시효 또한 만료됐으며 재판을 받는다고 해도 현재 후지키의 상태로는 책임 능력이 인정되지 않을 것이다.

가노는 손목시계를 내려다봤다.

"아, 벌써 시간이 이렇게 됐나. 슬슬 가지 않으면 순찰 중에 농땡이 부린 걸 들키겠네요. 그럼 선생님, 다음에 기회가 있으면 또 뵙죠."

등을 돌렸을 때 후지키가 처음으로 가노 쪽을 돌아봤다. 느릿느릿 고개를 돌리자 멀건 눈에 가노의 모습이 비쳤다. 그런 행동이 무엇을 의미하는지 변함없이 무표

* 5 · 7 · 5의 3구 17자로 된 일본 특유의 단시. 특정한 달이나 계절의 자연에 대한 인상을 묘사하는 서정시.

정한 얼굴에서는 읽을 수 없다.

그때 후지키의 바지 주머니 쪽에서 얼핏 붉은 뭔가가 보였다. 몸을 움직이다가 안에 든 것이 밖으로 조금 튀어나온 듯하다. 가노는 그것이 뭔지를 깨닫고 눈을 부릅떴다.

붉은 비단으로 감싼 조개껍데기. 창고 열쇠가 달려 있던 열쇠고리와 같은 것이다.

생각해 보면 다케루가 열쇠를 잃어버렸을 때 후지키는 그와 함께 있었다. 지팡이도 없이 안뜰에 온 것을 보면 하반신은 멀쩡할 것이다. 다케루가 떨어뜨린 열쇠를 몰래 주웠을 수도 있을 것 같다. 또는 다케루의 주머니에서 열쇠를 꺼냈을 수도.

"대체 왜?"

무심코 물었지만 역시 대답은 없다. 후지키는 주머니를 보며 열쇠고리를 안으로 쏙 집어넣었다. 눈은 여전히 풀려 있다.

"집착인가요."

흐트러진 정신 속에 마지막으로 남은 것이 그것일까.

가노는 씁쓸함을 느끼며 고개를 흔들고 이번에야말로 안뜰에서 나갔다.

예정 시간보다 훨씬 늦게 파출소에 돌아가자 밖에는 사람들이 줄지어 있었다. 밋짱이 우는 아이를 얼싸안고 관광객들을 안내하고 있다.

경찰모 위에 주황색 작은 꽃잎이 붙어 있었다. 마음이 앞선 금목서 꽃잎이 어디서 날아온 듯하다. 가을 향기가 가슴에 맺힌 감정을 씻어 주는 느낌이 들었다.

"가노 선배님, 부탁 좀 드리겠습니다."

밋짱이 온화하게 미소 지었다. 아직 혈기왕성한 나이인데도 지금껏 화를 내는 모습을 본 적이 없다.

"그전에 차 한 잔만 마시고 올게."

가노는 한 손을 들며 파출소 안으로 들어갔다.

미아 보호, 길 안내와 분실물 보관, 그리고 아주 가끔은 유괴 사건.

가미쿠라역 앞 파출소는 오늘도 분주하다.

* 거짓의 봄 *

—당했어.

가즈에가 헐떡이며 전화를 걸어 온 것은 초봄 강풍이 요란하게 부는 초저녁 언저리였다.

나는 고타쓰 위에 혼자 먹을 저녁밥을 차려 놓고 있었다. 가즈에의 거친 목소리가 TV 음성을 흩뜨리며 고막을 때린다.

—아케미랑 노조미가 사라졌어. 돈을 들고.

놀라서 핸드폰을 귀에 갖다 붙인 채 TV를 껐다. "그게 무슨 말이야?" 하고 물으며 스웨터 가슴 부분을 손으로 꾹 쥔다.

"어딘데?"

—모르겠어. 전화를 안 받고 아파트에도…….

"아케미 씨랑 노조미 말고 가즈에 씨 당신 말이야."

날 선 목소리로 말을 끊는다.

—아, 난 지금 편의점 주차장. 차 안이라 괜찮아. 아무도 없어.

겁먹었는지 목소리를 낮춘 가즈에에게서는 내 의중을 살피는 느낌이 전해졌다.

"진정하고 다시 한번 말해 봐. 아케미 씨랑 노조미가 뭘 어쨌다고?"

—사라졌다니까. 약속 시간이 지나도 노조미가 안 와서 전화해 보니 수신 거부래. 이상하다 싶어 아케미한테도 걸어 보니 그쪽도 마찬가지. 그래서 집에 가 봤는데 집이 텅 비었지 뭐야.

"이사했다는 말이야?"

—그런 것 같아. 옆집 아줌마한테 물으니 며칠 전 갑자기 집을 나가 버렸대. 이사한다는 이야기도 없었고 마치 야반도주하듯 나갔다고 했어. 근데 오래전부터 뭔가 수상하다고 느끼고는 있었나 봐. 그럴 만도 하지. 일흔이 넘은 할머니랑 40대 남자가 둘이 살고 있었으니. 고모랑 조카라고 했다는데 누가 그 말을 믿겠어. 게다

가 아케미는 술집 호스티스 출신이고 노조미 역시 제대로 된 직업이 없었고.

또다시 흥분했는지, 아니면 불안감 때문에 그러는지 가즈에는 쉴 새 없이 말을 쏟아냈다. 말할수록 상대를 초조하게 한다는 것은 깨닫지 못한다. 나를 아랑곳하지 않고 가즈에는 말을 이었다.

—이번 달 수입도 노조미가 갖고 있었지? 얼마였어?

"천만 엔 조금 넘어."

애써 냉정하게 대답하려 했지만 뺨이 일그러지는 것은 막을 수 없었다. 가즈에가 "그렇게나 많이" 하고 놀라서 숨을 멈춘다. 이번 달에는 좀처럼 없는 큰 건을 처리해서 다른 달보다 수입이 훨씬 많았다. 사람에 따라서는 동료를 배신할 동기가 되기에 충분한 액수다.

—미쓰요 씨. 이제 어쩌지? 이대로 포기해야만 해? 모두 함께 고생해서 번 돈인데.

"그럼 경찰서에라도 달려가게? 사기 쳐서 번 돈을 동료가 들고 도망쳤다고 하면서?"

고령의 남성들을 타깃으로 사기를 시작한 지 이제 곧 2년째가 된다. 사기단의 멤버는 여자가 넷, 남자가 한 명으로 여자는 모두 나이가 환갑이 넘었다. 사기 수법은 결혼 사기, 혹은 꽃뱀이라고 해야 할까.

타깃 선정은 내 역할이다. 이런 사기에서 그것이 가장 중요하다는 것을 오래전 보이스 피싱 사기에 가담한 경험에서 알고 있었다. 전화를 걸 사람들 명단이 전화번호부인지 고급 료칸의 숙박객 리스트인지, 그리고 상대의 재산과 나이, 가족 구성 등에 따라 성공률과 이익이 크게 달라지기 때문이다. 그런 점에서 파견 캐디라는 내 직업은 적당한 남자를 물색하기에 안성맞춤이었다. 어느 골프장이든 푸른 잔디 위에서 해방감을 만끽하는 남자들은 아무렇지 않게 정보를 흘려준다. 관찰과 대화를 통해 경제 상태부터 가족 구성, 여성 취향까지 전부 파악하기 그리 어렵지 않다. 그다음은 잘 어울릴지를 생각해 어떤 여자를 옆에 붙일지 결정하면 끝이다.

내가 지시를 내리면 행동 부대인 여자 세 명이 움직인다. 타깃을 말로 구슬리고 가끔은 몸을 무기 삼아 재산을 착취한다. 나이가 들어도 남자들은 대부분 연애와 성에 대한 욕구가 있다. 상대가 젊은 여자면 의심할 수도 있겠지만 동년배 여자라면 안심하고 심지어 결혼도 염두에 둘 수 있다.

그렇게 쥐어짤 만큼 쥐어짜면, 또는 상황이 생각대로

굴러가지 않으면 마지막에는 멤버 중 유일한 남자인 노조미가 나선다. 여자의 아들인 척하며 "우리 어머니를 가지고 놀다니" 혹은 "아버지, 돈 좀 빌려주세요" 등의 다양한 패턴으로 관계를 파국으로 이끈다. 또 합의금이나 위자료 같은 거액의 현금을 받거나 여자들이 뜯어낸 귀금속, 차량 등을 환전하는 역할도 맡고 있다.

기본적으로는 타깃이 스스로 도망치도록 계획을 짠다. 사기당했다고 깨닫지 못하면 베스트다. 그러나 깨닫는다고 해도 리스크는 별로 없다. "그 나이에 여자나 밝히니 그렇게 됐지"라고 하면 피해자들은 수치심 때문에 대부분 입을 걸어 잠근다.

벌어들인 돈을 합쳐서 한 달 단위로 다섯 명이 똑같이 나눠 갖는 것이 규칙이다. 전에는 내가 돈을 관리했지만 실제로 돈을 다루는 사람은 노조미일 때가 많아서 요새는 노조미에게 전부 맡겨 두고 있었다. 그를 신뢰했던 것은 아니다. 배신 따위 못 할 거라며 상황을 만만하게 봤다.

—미안, 화내지 마. 난 그저…….

"화 안 내."

—그럼 다행이고. 내가 믿을 사람은 미쓰요 씨뿐이야.

어금니를 꾹 깨물며 짜증을 집어삼킨다.

"이 일은 내가 어떻게든 해 볼 테니 가즈에 씨는 일단 그대로 있어."

—타깃은 킵해 두면 되지? 응, 미쓰요 씨가 시키는 대로 할게.

"그럼."

—잠깐만. 유키코한테도 말해야 할까? 우선 미쓰요 씨한테 연락해야 할 것 같아서 아직 안 알렸는데.

"다음 모임 때 알려 주면 될 것 같은데 말하고 싶으면 해도 돼. 그럼 끊을게."

그렇게 말하고 이번에는 곧장 전화를 끊었다. 밖에서 부는 바람 소리가 급격히 커졌다. 지은 지 40년 된 목조 빌라가 비명을 지르고 있다.

식어 버린 저녁밥을 내버려 두고 아케미의 핸드폰으로 전화를 걸었다. "지금 거신 전화번호는 연결할 수 없습니다"라는 무미건조한 기계음이 나왔다. 가즈에가 말한 대로다. 노조미에게 걸어도 마찬가지였다.

핸드폰을 집어 던지고 보풀투성이인 얇은 고타쓰 이불을 멍하니 바라봤다. 초봄 바람이 창문을 때리고 있는데도 추위가 등을 슬금슬금 타고 올라온다.

늘 입는 너저분한 다운재킷을 걸치고 차 키를 들고 집을 나섰다. 아케미와 노조미가 살던 아파트에 확인하러 갈 생각이었다. 아마 헛걸음이 되겠지만 식욕도 사라진 마당에 집 안에 붙어 있어 봐야 소용없다.

옆집 101호에 불이 켜져 있었다. 사람 목소리나 다른 소리는 들리지 않는다. 바람만 귀를 스쳐서 정적이 더욱 강조됐다. 덜덜 떨며 차에 올라탔다.

작은 교토라고 불리는 가미쿠라시는 중심지를 벗어나면 한적해진다. 산 때문에 풍경 이곳저곳이 검게 물들어 있고 아직 7시가 조금 넘었을 뿐인데 차나 사람이 거의 보이지 않는다.

아케미가 사는 아파트를 방문하는 건 처음이지만 금세 찾았다. 3, 40년 전에는 이 일대에서 가장 새롭고 세련된 건물이었을 것이다. 가즈에의 말대로 집이 이미 빈 것은 한눈에 봐도 요연했다. 창문에는 불빛이 없고 커튼도 걷혀 있다. 주위를 살피고 얼굴을 가까이하자 집 안은 휑뎅그렁했다.

만약을 위해 옆집 사람에게 이야기를 들어 봤지만 가즈에에게 들은 정보와 별반 다르지 않았다. 아케미와 노조미는 그 누구에게도 이사 갈 곳을 알리지 않았고 행선지를 추측할 단서도 티끌 하나 남기지 않고 사라졌다. 친하게 지내던 사람이 있었는지도 알지 못한다. 한마디로 그들을 찾을 방도가 없다는 뜻이다.

나는 아파트를 나갔다. 2월의 서늘한 밤이 갓길에 세워 둔 차를 집어삼키려 하고 있다.

집에 돌아가 지붕과 벽이 없는 야외 주차장에 차를 세웠을 때 빌라 쪽으로 향하는 세 명의 그림자가 눈에 들어왔다. 손을 맞잡은 젊은 어머니와 아들은 옆집 101호에 사는 가나에와 하루토다. 하루토를 사이에 두고 반대편에서 걷는 남자는 면식이 없었다.

"아줌마. 다녀오셨어요? 이런 시간에 오실 때도 있네요."

차에서 내린 내게 가나에가 싹싹하게 말을 걸었다.

"가나에 씨야말로."

남편과 이혼해 홀로 하루토를 키우는 가나에는 낮에는 파친코 가게, 밤에는 술집에서 일한다. 파친코 가게에서 일을 마치고 보육원에 하루토를 데리러 갔다가 집에서 재우고 다시 술집에 가서 집에 돌아오는 건 보통 자정이 지나서다.

"오늘 밤은 하루 쉬기로 했어요."

가나에는 혀를 날름 내밀었다. 옆으로 가니 요새 뿌리기 시작한 향수 냄새가 코끝을 스친다. 얼마 전부터는 화장이 더 짙어졌고 색이 빠져 푸석푸석하던 머리도 단정해졌다.

"아, 이분은 고가 씨예요. 파친코 손님분인데 되게 친절하세요. 지금 셋이서 밥 먹고 오는 길이에요."

보아하니 주차장에 낯선 차가 세워져 있었다. 딱 봐도 싸구려 중고차지만 타이어만은 비싼 걸 장착한 듯하다.

고가는 약간 거리를 두고 서서 강풍에 얼굴을 찌푸리며 담배를 피우고 있었다. 대화에 끼지 않고 수염이 덥수룩하게 자란 턱을 벅벅 긁고 있다.

나도 그를 신경 쓰지 않고 고개를 숙이고 있는 하루토에게 말을 걸었다.

"안녕."

하루토는 나를 잠깐 보자마자 곧 다시 고개를 숙였다. "하루토" 하고 가나에가 팔을 잡아끌어도 고개를 들려 하지 않는다.

"미안해요, 아줌마. 보고 싶은 TV를 못 봐서 화났나 봐요. 하루토, 이제는 좀 그만해. 너도 패밀리 레스토랑에 가 보고 싶다고 했잖아."

나는 가나에를 눈빛으로 달래며 손에 든 가방에서 책자를 몇 권 꺼냈다. 최근 며칠 동안 쇼핑몰과 소매점을 돌아다니며 모은 란도셀* 카탈로그다. 마침 운 좋게 가방에 있었다.

"자, 하루토. 잘 보고 뭐가 좋을지 골라 보렴."

4월에 초등학생이 되는 하루토에게 란도셀을 선물해 주기로 약속했다. 고개를 번쩍 든 하루토의 눈빛이 언제 토라져 있었냐는 듯이 반짝이고 있다.

가나에와 하루토 모자가 옆집에 이사 온 것은 작년 봄이었다. 스물한 살인 가나에는 이혼한 후로 돌아갈 집이 없다고 했다. 둘이 사는 삶이 궁핍할 것은 누가 봐도 뻔했고 가나에의 이야기를 들으면 하루토의 아버지가 사람 구실을 못 한다는 것도 금세 알 수 있었다. 배움과 전문 기술도 없이 내세울 거라곤 젊음 하나밖에 없는 엄마. 그런 엄마 밑에서 방치될 가능성이 큰 어린아이. 지금까지도 수없이 봐 온 유형이다. 이런 모자의 삶은

* 등에 메는 초등학생용 책가방.

아주 사소한 계기 하나로도 밑바닥까지 떨어진다. 안타깝지만 그것은 세상에 흔한 불행이었다. 손을 뻗을 여유와 이유도 내게는 없을 터였다.

분명 내가 나이가 들어서일 것이다. 술을 너무 많이 마셨는지 길가에 서서 컥컥거리던 가나에를 집까지 데려다준 것을 계기로 이 모자와 친분을 쌓았다. 가끔 먹을 것을 갖다주거나 하루토를 대신 맡아 줬고, 언젠가는 셋이 함께 차를 타고 외출한 적도 있다. 가족이 있는 가즈에와 유키코의 영향도 받았을까. 오랫동안 혼자 살아온 탓에 잠시 스쳐 가는 인연이라도 간절했을지 모른다.

"고마워요, 아줌마."

천진난만하게 카탈로그를 받아 든 하루토 옆에서 가나에가 겸연쩍은 듯 미안해하며 말했다.

"근데 정말 괜찮겠어요?"

"여러 번 말했잖아. 다 내가 좋아서 하는 일이라고."

"돈은 조금씩이라도 반드시 갚을게요."

그 말에는 대꾸하지 않았지만 어차피 돈 받을 생각은 없다. 란도셀은 저렴한 것도 2만 엔이 넘는다. 간신히 입에 풀칠만 하며 사는 모자가 그런 돈을 마련하기는 쉽지 않다.

학교 규칙상 반드시 란도셀을 메고 다닐 필요는 없다고 하지만 모두 당연하다시피 메고 다니는 가방을 혼자만 못 갖는 것은 어린아이들에게 잔인한 일이다. 적어도 초등학생 시절 나는 혼자 너덜너덜한 가방을 메고 다니는 게 창피해서 견딜 수 없었고, 그로 인해 따돌림도 당했다. 지금의 어두운 삶도 그 가방에서 비롯됐다는 느낌마저 들 정도다.

모자에게 손을 흔들며 집에 들어가자 무게감을 실은 정적이 집 안에 깔렸다. 얇은 벽 한 장을 사이에 두고 가나에와 하루토의 목소리가 들린다. 두 사람과 있을 때는 잠시 잊고 있던 기억이 급격히 되살아났다. 텅 비어 버린 아케미의 집. 모자와 함께 101호실에 들어가던 고가.

차갑게 식어 버린 저녁밥을 치우기 전에 서둘러 TV를 켰다. 어차피 볼 마음은 없지만 이 좁은 원룸을 소리로 채울 수는 있다.

수요일은 모임 날이었다. 일주일에 한 번 여자 넷이 찜질방에서 만난다.

그러나 오늘은 세 명이다. 내가 안에 들어가자 가즈

에와 유키코는 이미 불안한 얼굴로 앉아 있었다. 아케미가 오지 않는다고 유키코도 알고 있는 듯했다.

찜질방 안에 있는 TV에 저녁 뉴스 정보 프로그램이 방송되고 있는데, 마침 보이스 피싱 사기단이 체포됐다는 소식이 흘러나왔다. '비열'이라는 자막이 큼지막하게 붙었고 게스트로 나온 패널이 "힘 약한 노인들을 상대로 사기를 치다뇨!" 하고 분개하고 있다.

"아, 미쓰요 씨. 그 뒤로 어떻게 됐어? 연락이 없어서 얼마나 불안했는지 알아?"

우리 말고 다른 손님이 없어서인지 가즈에가 얼굴을 보자마자 덤벼들듯 물었다. 평소에는 열심히 배에 쌓인 지방을 손으로 문지르는데 오늘은 그것도 잊은 듯하다. 그녀의 우렁찬 목소리를 듣기만 해도 위축되는지 유키코가 이름처럼 하얀* 어깨를 움츠리고 있다.

나는 두 사람에게서 조금 거리를 두고 앉았다.

"가즈에 씨 말대로 아케미 씨와 노조미가 돈을 들고 사라진 건 맞는 것 같아. 두 사람을 찾거나 돈을 돌려받

* 일본어로 '유키'는 '눈'을 뜻한다.

기는 어려울 거야."

"말도 안 돼!"

가즈에가 포효하듯 버럭 소리쳤고 유키코는 깜짝 놀라 침을 꿀꺽 삼켰다.

"그건 너무 심하잖아. 우리처럼 가난한 사람들이 필사적으로 모은 돈을. 그 두 사람은 진짜 악당이야."

나는 그동안 우리가 타깃으로 삼은 남자들을 떠올렸다. 개당 8백 엔이나 하는 골프공을 대수롭지 않게 버리는 부자들. 그들의 재산이 조금 준다고 해도 티도 안 날 것이다. 하물며 사랑에 빠진 노인들은 전보다 훨씬 기운이 넘친다. 우리가 그들에게 사기를 친 것은 분명하지만 돈을 좀 지불해 연애의 즐거움을 느끼고 거기에 기운까지 차릴 수 있다면 이득 아닐까.

"이제 어쩌지……."

끊임없이 이어지는 가즈에의 악담이 잠시 멈췄을 때 유키코가 나직이 중얼거렸다. 평소보다 목소리가 더 작아 거의 들리지 않는 수준이다.

유키코가 다른 사람의 말에 대답하지 않고 스스로 먼저 입을 여는 모습을 처음 보는 것 같았다. 내성적이고 말수가 적은 여자. 좋아하는 것과 하고 싶은 일도 없는 여자. 남편에게 묻지 않으면 무엇 하나 스스로 결정하지 못하는 여자. 그것이 유키코에 대한 내 평가였다. 이 일을 시작한 뒤로도 지금껏 죄책감을 씻지 못하고 평범한 주부로서의 삶에 집착하는 것처럼 보였다. 그런 유키코가 앞으로의 일을 떠올리다니 뜻밖이었다.

"지난달 몫은 그냥 포기하는 걸로 하고 우선 지금 진행 중인 건을 어떡할지 정하는 게 좋을 것 같아. 노조미가 없으면 지금껏 해 온 패턴으로는 뒷정리가 안 되니까."

비난을 쏟아내다가 잠시 입을 다물고 있던 가즈에가 땀투성이 몸을 앞으로 내밀었다.

"내가 대신할 남자를 찾아볼까? 돈에 쪼들리는 남자라면 몇 명 알거든."

"그 문제는 나중에 얘기해."

나는 딱 잘라 거절했다. 어떤 의미에서 가즈에는 유키코보다 신뢰할 수 없다. 수다스럽고 경박한 데다가 자신의 행동이 어떤 결과를 불러올지 상상하지 않고 저지르고 보는 성격이다. 예컨대 평소 알고 지내던 유키코에게 이 일에 대해 떠들고 멋대로 끌어들인 것도 그렇다. 아케미가 낌새를 채고 우리에게 자기도 끼워 달라고 한 것도 가즈에가 어디선가 쓸데없이 입을 놀린 결과일 것이다.

"일단 이번 건은 노조미 없이 할 방법을 떠올려 볼게."

"미쓰요 씨가 그렇게 말한다면……."

"하지만 앞으로는?"

가즈에와 유키코, 두 사람의 눈이 나에게 쏠려 있다. 둘 다 걱정하는 듯하지만 눈이 날카롭게 번득인다. 이 일을 그만둘 수는 없다고 눈빛으로 호소하고 있다.

두 사람은 거액의 빚을 떠안고 있다. 가즈에는 투자 사기에 휘말렸고, 유키코는 남편이 도박에 빠졌다고 했다. 그러나 자식들 앞에서는 그 이야기를 하지 못해 도움을 받기는커녕 손자들의 학자금 보험까지 대신 내주고 있다. 두 사람은 자식들에게 걸림돌이 되고 싶지 않다고 입을 모아 말했다. 물론 거짓말은 아니겠지만 멍청하다며 무시당하고 싶지 않은 감정과 약간의 허세도 섞였을 것이다. 우리의 먹잇감이 된 대다수의 남자들이 그러는 것처럼.

"차차 생각해 봐야지."

"생각할 게 많네."

가즈에가 무심코 불안감을 드러내는 것처럼 한숨 섞어 말했다.

"불만이면 직접 어떻게 해 보든지."

"불만이라니. 늘 말하잖아. 믿을 사람은 미쓰요 씨밖에 없다고. 부탁이니 우리를 버리지 말아 줘."

부랴부랴 수습하는 가즈에 옆에서 유키코도 간절한 눈빛으로 나를 봤다.

오래전 나도 이렇게 비굴했을까. 갑자기 불쾌한 기억이 머리를 스쳤다. 이미 40년도 더 된 일이다.

당시 나는 우체국에서 일하며 직장 동료와 교제하고 있었다. 자상한 남자였지만 분에 넘치는 씀씀이 때문에 내가 대신 돈을 내줄 때가 많았다. 그와 결혼할 계획이었으니 깊이 생각하지 않았고, 버림받는 게 두렵기도 했다. 마침내 고객의 돈에 손을 댄 것도 그를 기쁘게 할 일념에서였다. 그러나 횡령이 들통났을 때 그는 자못 놀란 듯이 말했다. 날 위해서라니, 그런 게 어딨어. 그냥 농담으로 한 말이었는데 진짜로 다른 사람 돈에 손을 댈 줄이야. 그날 이후 그를 만난 적은 없지만 출소 얼마 후 그가 우체국 시절 여자 후배와 밥을 먹고 있을 때 그의 약지에 결혼반지가 끼워져 있는 것을 우연히 발견했다.

그 사건 이후 나는 여러 지역과 직업을 전전하며 살았다. 친했던 사람은 한 명도 없다.

내 태도에 불안감을 느낀 가즈에는 평소와 달리 예리했다고 할 수 있다. 앞으로 어떻게 할지를 생각해 보겠다고 한 건 그저 자리를 모면하기 위한 빈말에 지나지 않았다. 두 사람과 달리 나는 빚이 없고 돈도 그럭저럭 모았다. 정당하게 번 돈만 있는 것은 아니니 다른 사람 눈에 띄지 않게 일부러 검소하게 살았지만 앞으로도 무리하게 이 일을 계속할 필요는 없다. 다른 사람이 내게 고마워하고 의지하는 게 꼭 나쁜 일은 아니지만 요새는 슬슬 부담이 되고 있었다. 이 일에서 깨끗이 손을 떼고 다른 곳으로 떠나는 게 정답 아닐까.

찜질방에 다른 손님이 들어오자 우리는 몸을 일으켰다. 가즈에와 유키코는 조금 더 대화하고 싶은 듯했지만 모르는 척하며 인사하고 먼저 나갔다.

쫓아오지 못하게 후다닥 옷을 갈아입고 탈의실을 나섰다. 그런 나를 객관적으로 보니 이미 마음으로는 가즈에와 유키코를 버렸음을 알 수 있었다.

그러나 이 가미쿠라에서 아직 할 일이 하나 남아 있기는 하다.

"아줌마."

집에 돌아가 현관문을 열고 있을 때 소리를 듣고 옆집

에서 하루토가 뛰쳐나왔다. 손에 란도셀 카탈로그를 들고 있다.

"계속 기다리고 있었어요. 란도셀, 뭐로 할지 정했어요!"

하루토는 끝을 접어 둔 페이지를 펼치며 내가 볼 수 있게 카탈로그를 번쩍 들었다. 은색 란도셀 사진이 실려 있다.

그야말로 절묘한 타이밍이라 하마터면 웃음이 터질 뻔했다. 이로써 곧 할 일도 끝난다. 역시 이곳을 떠나야 한다.

다음 날 저녁, 캐디 일을 마친 나는 하루토에게 받은 카탈로그를 손에 들고 쇼핑몰로 향했다. 평일이라 사람이 별로 없어서 2층에 마련된 란도셀 매장에 금세 도착했다. 색색의 란도셀이 진열돼 있고 모든 제품 아래에 세일즈 포인트가 우스꽝스러운 글씨체로 적혀 있다. 어머니와 함께 온 소녀가 매장에서 흐르는 광고 음악에 맞춰 노래를 부르고 있다.

익숙하지 않은 분위기에 불편함을 느끼면서 다가가자 안에 있던 직원이 재빨리 나를 발견하고 말을 걸어

왔다.

"안녕하세요. 란도셀 보러 오셨어요?"

"아, 네."

"손자분께 선물하시는 건가요?"

약간 당황했다. 할머니 손님을 많이 봐 온 직원의 눈에 나도 그렇게 비친 걸까. 평소에 거의 입지 않는 니트 카디건 때문일지도 모른다. 항상 입는 너저분한 다운재킷을 걸치면 더 위축될 것 같아 일부러 카디건을 꺼내 입었다.

"이거 말인데요."

나는 긍정도 부정도 하지 않고 카탈로그를 펼쳐서 은색 란도셀을 가리켰다. 곧 제품을 확인하고 4만 7천 엔을 현금으로 냈다. 1만 엔 지폐를 여러 장 지갑에서 꺼낸 게 얼마 만일까.

"서비스로 메시지 카드를 드리고 있는데, 같이 넣어 드릴까요?"

포장지와 리본을 고르며 난감해하고 있었는데 아직 할 게 더 남았다. 지금 이 자리에서 쓰면 포장에 함께 넣어 준다고 했다. 잠시 고민하던 중에 직원이 "일단 카드만 드릴게요"라고 해서 받아 들었다. 시종일관 친절

한 직원은 글자가 틀릴 것을 대비해 카드를 넉넉히 챙겨 주었다.

란도셀이 든 커다란 종이봉투를 들고 매장에서 나갔다. 문득 돌아보니 노래를 부르던 소녀의 어머니도 같은 봉투를 손에 들고 있다. 눈이 마주치자 나를 향해 미소 짓는다. 어떤 표정을 지어야 할지 몰라 당황했지만 불쾌하지는 않았다.

왠지 더 둘러보고 싶어 쇼핑몰 안을 걸었다. '입학 시즌 페어'라고 해서 학생용 책상과 자전거, 시계 등이 전시돼 있다. 책상은 세금 포함 5만 3천 엔, 의자가 1만 5천 엔. 더 저렴한 것도 있다. 원룸에 둘 거면 되도록 작은 게 좋다. 그런 것을 떠올리는 나 자신을 깨닫고 또다시 당황했다.

집 앞에 돌아가 옆집을 살피며 란도셀을 들고 집 안에 들어갔다. 아직은 하루토에게 들키고 싶지 않다. 메시지 카드를 다 쓰기 전까지는. 직원의 권유로 받은 메시지 카드지만 써 보고 싶었다. 란도셀을 옷장에 숨기고 나답지 않은 모습에 쓴웃음을 지었다.

란도셀만 사면 곧 여기를 뜰 생각이었다. 그러나 메시지 카드를 다 쓴 이후로 미뤘다. 좋은 글귀가 좀처럼 떠오르지 않았지만 고민 자체가 이상하게 즐거웠다. 매일매일 글귀를 떠올리며 머릿속이 수십 장의 메시지 카드로 가득 채워졌다.

가즈에에게 몇 번, 유키코에게 한 번 전화가 걸려 왔지만 일단 대답을 미뤘고 그 이후에는 무시하고 있다. 주소를 알려 준 아케미와 달리 다른 멤버들에게 주소를 알려 주지 않아서 집에 들이닥칠 염려도 없다.

요즘 가나에는 유치원 졸업식에 뭘 입고 갈지만을 고민하고 있다. 어느새 그런 시기가 되었다. '메시지 카드를 다 쓰기 전까지'라고 나는 다시 한번 되뇌었다.

그런 일상이 종언을 맞이한 것은 한 통의 편지 때문이었다.

골프장에서 돌아온 나는 우편함에 들어 있던 편지 봉투를 집어 들고 눈살을 찌푸렸다. 별 특징 없는 갈색 규격 봉투의 받는 사람란에는 '미즈노 미쓰요 씨'라고 적혀 있지만 글자가 마치 자를 대고 쓴 것처럼 부자연스러웠다. 보낸 사람 이름도 없다. 그걸 넘어 우리 집 주소와 우표, 소인도 없다. 다시 말해 우체국을 통해 발송된 게 아니라 이 집 우편함에 직접 꽂았다는 뜻이다.

봉투를 뜯어 보니 안에는 네 번 접은 작은 복사지가 한 장 들어 있었다. 받는 사람에 적힌 글씨와 같은 글씨체로 내용이 적혀 있다.

'지금까지의 일들이 공개되지 않기를 바라면 천만 엔을 준비해라. 돈 전달 방식은 곧 지시하겠다.'

협박장이라고 이해하기까지 조금 시간이 걸렸다. 종이가 바스락거리는 소리를 듣고 정신을 차리자 손이 조금씩 떨리고 있었다. 지금까지의 일. 천만 엔. 아케미와 노조미의 얼굴이 글자 위에 겹쳐 보였다.

핸드폰을 가방에서 꺼냈지만 누르지 않고 손을 내렸다. 누구에게 걸어야 할까. 가즈에와 유키코가 도움 되지 않을 것은 알고 있다. 애초에 도움 될 만한 사람 따위 내 인생에 존재하지 않았다.

협박장을 고타쓰 위에 내려놓고 부엌에 가서 물을 끓였다. 주전자에 남아 있던 재탕한 차를 마시자 맛도 향도 없이 열기만 텅 빈 위장에 스며들었다.

냉정하게 다시 떠올린다. 협박장을 보낸 사람은 누굴까. '지금까지의 일'을 아는 사람이라면 역시 아케미나 노조미밖에 없다. '천만 엔'이라는 액수도 지난달 수입을 계산했을 것이다. 주소를 알려 준 기억은 없지만 뒤를 밝으면 캐낼 수는 있다. 다만 '미즈노 미쓰요'가 가명인 것까지는 알지 못해서 받는 사람에 그렇게 적었다. 요구에 응하지 않을 경우 그들은 자신들도 가담한 범죄를 정말 세상에 폭로할 작정일까. 절대로 그러지 않으리라고 단정할 만한 근거는 없다. 자신들만 처벌받지 않고 빠져나갈 길이 있다고 생각하고 있을지도 모른다.

천장으로 시선이 향했다. 출처를 밝힐 수 없는 돈은 금융 기관에 맡기지 않고 집 안에 숨겨 두고 있다. 그 돈을 들고 혼자 지금 당장 도망쳐야 할까. 처음부터 막상 위기가 닥치면 그럴 계획이었고, 그러니 다른 멤버들에게도 본명을 알려 주지 않았다. 어차피 메시지 카드만 다 쓰면 여기를 떠나려 했다.

"아줌마."

나직한 목소리가 들려서 깜짝 놀라 현관을 봤다. 이제 얼마 안 있으면 듣지 못할 목소리에 저도 모르게 가슴이 술렁였다.

"이거요."

하루토는 문을 열자마자 도화지를 불쑥 내밀었다. 크레파스로 그린 세 사람 밑에 각각 화살표로 '하루토', '엄마', '아줌마'라는 설명이 붙어 있다. 모두 얼굴 절반 이상이 입이다. 가슴속에서 뭔가가 치밀어 올랐다. 65년을 살면서 이렇게 웃어 본 적이 한 번이라도 있었을까.

"……네가 그렸어?"

"네. 엄마가 아줌마한테 보여 주고 오랬어요."

"잘 그렸네."

"드릴게요."

도화지와 함께 하루토를 꼭 안아 주고 싶었다. 이제는 인정해야 한다. 내가 조금 더 하루토 옆에 있고 싶어 한다는 것을.

돈이 필요하다고 뼈저리게 느꼈다.

일단 한번 마음먹으니 행동은 빨랐다.

다음 날 오후 캐디 일을 마치고 일단 집에 돌아가 옷을 갈아입었다. 늘 입는 다운재킷 대신 코트를 걸치고 귀까지 덮는 챙 넓은 모자를 썼다. 화장까지 바꾸니 인상이 사뭇 달라졌다. 만약을 위해 마스크를 끼고 배낭을 짊어진 채 집을 나선 시간은 저녁 무렵이었다. 기온이 급격히 떨어졌다. 두 손을 연신 맞비비며 버스 정류장으로 향하는 익숙하지 않은 길을 걸었다.

천천히 30분 남짓 버스를 타고 가서 오래된 주택가에

내렸다. 유심히 보니 저택 수준은 아니어도 부지가 넓은 가옥들이 늘어서 있다. 머릿속에 입력한 지도를 따라 칠이 벗겨진 도리이*를 등지고 담장 사이 좁은 길을 걷는다.

목적지에 다다랐을 때 아케미가 살던 아파트를 떠올렸다. 일본식 단층 주택과 아파트라는 차이는 있지만 잘나가던 한때를 연상케 하는 쓸쓸함은 공통돼 있다. 문 위에 고개를 내민 커다란 목련 나무에는 봉오리가 얼마 없었다.

문패에 적힌 이름을 확인하기도 전에 다키모토의 집임을 깨달았다. 골프장의 단골손님이자 타깃으로 점찍어 둔 사람 중 한 명이다. 다키모토에 대한 많은 정보 중에 그가 혼자 사는 이 집 주소도 포함돼 있었다.

초인종을 눌러도 대답이 없어서 정원을 지나 현관으로 향했다. 문을 잠그는 습관이 없다는 것도 파악하고 있다.

"실례합니다."

* 신사(神社) 입구에 세운 기둥문.

몇 번인가 그렇게 외치자 뒤늦게 "네, 네" 하는 쉰 목소리가 들렸다. 골프장에서 들었던 목소리보다 힘이 없다. 벽에 손을 짚고 느릿느릿 복도를 걸어오는 모습도 그야말로 나이 든 노인이다. 취미인 골프만은 즐기게 하고 싶다며 옆 동네에 사는 장녀가 골프장까지 바래다주지만 요즘은 그것도 뜸해졌다. 83세. 얼마 전부터 치매 증세가 나타나기 시작해 점차 진행되고 있다고 들었다.

"하트풀에서 나온 스즈키라고 합니다."

으응? 하고 반응하는 다키모토는 전혀 감을 잡지 못하고 있다. 내 얼굴을 정면에서 봐도 골프장에서 만난 캐디라고 눈치채지 못한 듯하다. 처음부터 문제없을 거라 예상했고 잘 구슬릴 자신도 있었지만 그래도 역시 가슴을 쓸어내렸다.

"흐음, 누구시더라?"

"하트풀의 스즈키입니다. 방문 요양 보호사예요."

"아아, 요양 보호사."

다키모토는 그제야 이해한 것처럼 고개를 끄덕였다. 아내를 먼저 떠나보내고 혼자 살아서 장녀가 방문 요양을 의뢰하고 있다. 하트풀은 그 회사의 이름이다. 늘 정해진 요일에 정해진 보호사가 방문하지만 오늘은 요일과 보호사 모두 평소와 다른 것을 다키모토는 눈치채지 못하고 있다.

"추운데 미안허이. 마스크까지 끼고, 감기 걸린 거 아닌가?"

"아뇨. 미리 대비하는 거예요. 요새 독감이 유행하니까요. 꽃가루도 슬슬 날리는 것 같고."

"겨울인지 봄인지 모르겠구먼."

집 안에 들어가는 데 성공한 나는 다키모토가 안방에 가는 것을 끝까지 확인하고 부엌으로 갔다. 바닥에 배낭을 내려놓고 코트와 모자는 벗지 않은 채로 잽싸게 주전자를 가스레인지에 올리고 불을 붙인다.

"우선 차라도 끓여 드릴게요."

그렇게 외치자 불현듯 버럭하고 화를 내는 소리가 들렸다.

"차라도라니! 차라도라니! 다 내 돈으로 산 차야!"

느닷없는 뺏성에 깜짝 놀랐지만 골프장에서도 노인들의 이런 모습은 자주 본다. 앞으로 내가 할 일을 고려하면 이렇게 욕을 얻어먹는 게 오히려 마음 편하다. 차와 함께 어울리는 과자를 적당히 챙겨서 갖다주고 "그럼 청소하고 올게요"라고 하고 부엌에서 배낭을 들고 불단으로 향한다.

다키모토는 긴급 상황을 대비해 현금 천만 엔을 불단 수납함에 보관하고 있다. 전에 본인에게서 직접 들었다. 그것을 훔치는 게 오늘 이곳에 온 목적이다. 실은 이런 조잡한 짓은 하고 싶지 않았지만 공들여 계획을 세울 시간이 없었다. 또 지금껏 내가 사는 가미쿠라시 안에서는 범죄를 피해 왔지만 이제는 그런 것도 사치다.

불단에는 생전 아내로 보이는 영정이 놓여 있고 향을 피운 흔적이 있었다. 수납함 안에는 상자에 든 향과 양초, 성냥, 그리고 갈색 종이에 싸인 현금이 확실히 들어있었다. 내용물을 확인하니 가운데에 띠가 달린 1만 엔 지폐 다발이 총 열 묶음. 나는 돈의 감촉을 다시 한번 음미했다.

그때 "기무라 씨" 하고 다키모토가 부르는 소리가 들렸다. 진짜 요양 보호사의 이름이다. 목소리가 다시 온화해졌다.

"네에. 잠깐만요."

돈을 원래대로 갈색 종이로 감싸고 배낭 밑바닥에 쑤셔 넣었다. 무게는 1킬로그램 정도 될까. 평소 골프채 여러 자루를 들고 다니는 내게는 가벼운 무게다.

"기무라 씨. 차 좀 더 줬으면 하는데."

이번에는 대답하지 않았다. 배낭을 등에 메고 발소리를 죽이며 현관으로 향한다.

"어이, 차. 차 달라니까. 이봐! 아야코!"

아야코는 죽은 아내의 이름이다.

이대로 말없이 사라져도 다키모토는 스즈키라는 요양 보호사가 집에 왔다는 사실 자체를 잊어버릴 것이다. 차는 직접 끓였다고 생각할 것이고 어렴풋한 기억 때문에 불안해할 수도 있다. 만약 정확히 기억해서 다른 사람에게 말한다고 해도 상대가 순순히 믿어 줄 리는 없다. 어린아이 달래듯 나무라다가 마침내 완전히 정신이 나갔다는 험담을 퍼뜨릴 것이다. 그런 광경을 이미 나는 여러 번 봐 왔다.

조용히 현관을 나가 목련 봉오리 아래를 종종걸음으로 지났다. 꽃이 피는 건 올해가 마지막일지도 모른다며 머릿속 한구석으로 떠올렸다.

밤에 쫓기듯 해가 저물어 갔다. 담벼락에 둘러싸인 좁은 길에 땅거미가 깔린다.

앞쪽으로 칠이 벗겨진 도리이가 보였다. 힘이 살짝

풀린 손바닥은 땀에 젖어 있었다.

앞에 줄지어 서 있던 몇 사람이 각각 목적지가 다른 버스에 올라타자 정류소에 혼자 남았다. 중앙선이 따로 없는 길에 차량이 불어나 신중하게 옆을 스쳐 간다. 양옆에서 쏟아지는 전조등 불빛 때문에 눈이 시렸다. 차가 막혀서인지 출발 시각 10분이 지나도 버스가 보이지 않았다.

배낭을 여러 번 고쳐 메고 어깨끈을 두 손을 꾹 쥐었다. 별로 무겁지 않은데도 무겁게 느껴지는 건 신경이 곤두선 탓일까. 어디선가 들린 종소리가 두개골 안에서 댕 하고 울렸다. 현기증이 일어 버스 시각표 입간판에 몸을 기댔다.

잠시 감고 있던 눈을 떴을 때 느릿느릿 나아가는 차량 대열 속에서 경찰차를 발견하고 무심코 몸을 움찔했다. 경찰차는 버스 정류장 앞에 멈춰 서더니 조수석에서 경찰관 한 명이 내렸다.

"아주머니, 혹시 어디 안 좋아요?"

30대, 아니 40대일까. 경찰관치고는 머리카락이 약간 길고 표정과 말투 모두 왠지 야무지지 못하다.

"아뇨, 괜찮아요. 현기증이 살짝."

"괜찮지 않은 것 같은데."

"곧 괜찮아질 거예요."

"안색이 안 좋아요."

그렇다면 피로와 긴장 탓이다. 경찰차를 처음 발견했을 때부터 배낭 어깨끈을 붙잡은 손에 힘이 잔뜩 들어가 있다.

"버스 기다려요?"

"네. 근데 잘 안 오네요."

"여기는 원래 저녁이 되면 그래요. 이 동네를 잘 모르시나?"

나는 가볍게 고개를 숙이기만 했다. 뭔가 숨길 게 있을 때는 최대한 입을 열지 않는 게 좋다.

"어디서 왔어요? 경찰차로 바래다드릴게요."

"아뇨, 괜찮아요."

"에이, 사양 마시고. 이렇게 추운 날에 언제 올지도 모를 버스를 기다리고 있다가는 몸이 더 안 좋아질 거라고요. 시민을 보호하는 게 우리의 일이니 평소에 못 할 경험이라고 생각하시고."

경찰차에 타 본 적은 있다. 그것도 수갑을 찬 채로. 그 말을 하면 이 오지랖 넓은 경찰은 놀라 자빠질 것이다. 경찰 눈에 선량한 일반 시민으로 보인다는 것은 기뻐할 일이기는 하다. 별로 끌리지는 않았지만 결국 호의를 받아들이기로 했다. 완강히 거절하면 오히려 쓸데없는 의심을 살 수도 있다.

버스가 아직 오지 않은 것을 확인하고 경찰이 차 쪽을 향해 손짓했다. 마치 리모컨으로 조작하는 것처럼 경찰차가 즉시 출발해 뒷좌석 문이 내 바로 앞에서 멈춰 섰다. 경찰이 나를 위해 문을 열어 준다. 안에 올라타 배낭을 두 팔로 껴안고 문이 닫히는 순간의 갑갑함을 견뎠다. 경찰차 뒷좌석 문은 안에서는 열 수 없다.

경찰은 원래대로 조수석에 올라타 백미러 각도를 조절했다. 운전석과 조수석 두 개 있는 백미러 중 하나가 나를 비추자 거울 속에서 그와 눈이 마주쳤다. 싱글벙글 웃고 있다.

“아 참. 전 가미쿠라역 앞 파출소에서 근무하는 가노라고 합니다. 이쪽은 쓰키오카.”

운전석에 앉은 경찰이 돌아보며 가볍게 고개를 숙였다. 앉아 있는데도 키가 크고 체구가 늠름한 것을 알 수 있다. 아직 20대로 보이는 깔끔한 분위기의 젊은이다.

"혹시 성함이?"

티가 나지 않게 짧게 망설이고 "미즈노예요"라고 대답했다.

"미즈노는 성일 테고, 이름이?"

"미즈노 미쓰요."

"네, 미즈노 미쓰요 씨. 어디 사세요?"

내가 대답하자 가노는 쓰키오카에게 차를 출발하도록 지시했다. 경찰차라서 차량 대열 안으로 쉽게 진입했지만 속도가 느린 건 어쩔 수 없다.

계속 마주 보고 있기 꺼림칙해서 백미러에서 시선을 돌렸다. 해가 완전히 떨어져서 검은 창문에 내 얼굴이 비치고 있다. 평소보다 짙은 파운데이션이 마스크 끈에 묻었다.

"감기?"

"아뇨. 그냥 예방용으로 썼어요."

"마스크를 보니 갑자기 빨간 마스크 괴담이 생각나네요. 예쁜 누님인 줄 알았는데 마스크를 벗고 보니……. 밋짱도 알지?"

쓰키오카가 잠깐 생각하다가 "아뇨" 하고 대답했다. 가노의 말 상대는 쓰키오카에게 맡기고 나는 대화에 끼지 않았다. 의미도 없는 수다를 즐기는 습관이 내게는 없다. 그런 것을 배우지 못한 채로 나이를 먹었다.

내 반응이 탐탁지 않은데도 가노는 아랑곳하지 않고 말을 걸었다.

"그런데 미즈노 씨는 혼자 사세요?"

"그건 왜 물으시죠?"

"아까 그 주소를 듣고 떠올랐는데, 아무래도 거기가 원룸 빌라였던 것 같아서요."

뜻밖이었다. 덤벙거리는 성격처럼 보이는데 관할을 잘 파악하고 있다.

"네. 혼자 살아요."

"힘들지 않아요?"

"딱히."

사기 공범에게 배신당해서 힘들다고 말할 수는 없다.

"가까운 친척이나 의지할 만한 분 있어요?"

"전 일을 하고 있고 옆집과도 친하게 지내니 괜찮아요."

"오, 그건 안심이 되는군요. 혼자 사는 건 아무래도 위험하고 특히 노인분들은 사기꾼의 타깃이 되기도 쉬워서."

그런 거였나. 그제야 질문의 의도를 이해하고 안도했다. 나 같은 나이면 보통 가해자가 아닌 피해자인 것이다.

"무슨 일을 하세요?"

"골프장 캐디예요. 파견 캐디."

"오. 실례지만 연세가?"

"예순다섯인데 원래 시니어를 모집하는 일이었고 매일 풀타임으로 일하는 것도 아니라."

"그래도 힘들지 않아요? 아까는 정말 몸이 안 좋아 보이시던데. 무리하면 안 돼요. 옆집과 친하게 지낸다고 하셨는데 혹시 무슨 일이라도 생기면 도움받을 수 있을 것 같아요?"

"필요할 때 언제든 말하라고는 했어요."

"오, 다행이네요. 젊은 분?"

"20대 엄마랑 아들이에요."

하루토 이야기를 입 밖에 꺼낸 순간 문득 길을 잘못 들어선 느낌이 들었다. 왜 나는 경찰차에 탔을까. 왜 경찰의 질문에 이것저것 대답하고 있는 걸까. 나는 하루토 옆에 있어 주고 싶을 뿐이고, 오직 그것 하나만을 위해 오늘 이렇게 나왔는데.

그러나 잇따라 나오는 질문이 내게 멈출 시간을 주지 않는다. 대답을 망설이면 하나같이 부자연스러울 질문뿐이다.

"남자아이? 여자아이?"

"남자아이예요."

"몇 살이죠?"

"일곱 살."

"그럼 올봄에 초등학교에 들어가겠네요?"

"네."

넌더리가 난다는 듯이 대답했지만 눈꺼풀 안쪽에 하루토의 모습이 떠올랐다. 활짝 핀 벚꽃 아래에서 은색 란도셀을 등에 메고 웃고 있다.

"아이를 아주 귀여워하시나 봐요."

"네?"

깜짝 놀라 백미러로 시선을 돌리자 가노의 눈은 미소의 형태 그대로 그 안에 있었다. 가만히 이쪽을 바라보고 있다. 눈빛이 날카롭지는 않은데 뭔가에 찔린 것처럼 순식간에 온몸이 굳었다.

"왜 그렇게 생각하세요?"

"얼굴에 쓰여 있거든요. 아까와는 표정이 전혀 달라요."

무심코 얼굴에 손을 갖다 댔다. 마음 같아서는 얼굴을 두 손으로 감싸고 싶었다. 가노는 아마 내게서 한 번도 시선을 떼지 않았을 것이다. 경찰차에 처음 올라탔을 때부터. 아니, 버스 정류장에서 말을 걸었을 때부터일까. 그런데 대체 왜.

"밋짱. 다음 교차로에서 우회전해 줘. 거기가 더 빠를 것 같네."

이야기가 다른 곳으로 향한 김에 다시 차창으로 얼굴을 돌렸다. 평소에는 지나지 않는 길이라 경치를 봐도 어디를 달리고 있는지 알 수 없다. 그러나 시 외곽 쪽으로 향하는 것은 틀림없어 보이고 차가 교차로에서 우회전하자 주변에 차와 건물도 단숨에 줄어들었다. 창문에 더 또렷이 비치는 내 얼굴이 신호등 불빛을 받아 번쩍인다.

"더워요?"

그 질문을 받고서야 비로소 내가 땀을 흘리고 있는 것을 깨달았다.

가노는 역시 나를 보고 있다. 관찰하고 있다. 나를 경찰차에 태운 것은 몸 상태가 좋지 않아 보여서 아니었나. 가노에 대한 인식을 바꿔야 한다. 지금껏 삶의 밑바닥을 전전해 온 자의 직감이 이 남자를 경계하라고 외치고 있다.

"이러면 될 것 같아요."

코트 단추를 풀고 배낭을 다시 껴안았다. 가노는 마치 타이밍을 잰 것처럼 다시 물었다.

"그런데 그 배낭 안에는 뭐가 들었어요?"

"평소에도 그런 질문을 사람들한테 하고 다니세요?"

"아, 그냥 궁금해서요. 불심 검문 때 가방을 뒤지다가 깜짝 놀랄 때가 가끔 있거든요. 얼마 전에도 전 세계를 여행하고 다닌다는 젊은이의 가방을 확인했더니 속옷과 잔돈밖에 없더라고요."

"아쉽지만 저도 이렇다 할 건 없어요."

대답이 조금 빨랐나. 불심 검문이라는 단어를 듣고 자극받은 듯하다. 무슨 생각을 하는지 도통 알 수 없는 가노의 눈을 보며 "지갑이랑 손수건 같은 것밖에"라고 덧붙인다.

"그런 것치고 배낭이 꽤 무거워 보이는데요."

"그렇지도 않아요."

"하긴. 여자분들은 갖고 다니는 소지품이 많죠."

나는 몰래 어금니를 깨물었다. 깊숙이 파고들 줄 알

았는데 별일 아니라는 듯이 다시 물러난다. 주도권을 빼앗긴 것처럼 마음이 뒤숭숭했다.

그때 갑자기 가노가 몸을 비틀어 손을 뒤로 뻗었다. 나는 순간 배낭을 세게 껴안았다. 고개를 번쩍 든 나를 가노가 검은색 바인더를 손에 들고 히죽히죽 웃으며 기다리고 있었다. 거울 너머가 아니라 실제로 눈과 눈이 마주친다. 속았다.

"그냥 이걸 가져가려고 했는데 놀라게 한 것 같네요. 그 배낭, 되게 아끼시나 봐요."

거기서 무심코 입을 다물어 버린 것이 더 큰 패착이었다. 가령 추억의 물건이 들어 있다든지, 개인적으로 배낭 자체가 소중하다든지 같은 변명할 수도 없게 됐다. 게다가 조금 전에는 배낭 안에 이렇다 할 것이 없다고도 했다.

"뭐가 들었으려나."

가노의 말을 듣고 나는 마스크 밑에서 심호흡을 했다. 날숨이 뜨거워서 습기 찬 마스크가 불편하다. 정신 차리라며 나 자신을 다그쳤다. 단언컨대 결코 안온한 삶을 살아오지 않았다. 지금껏 수많은 위기를 뚫고 살아남았다. 오직 나만의 힘으로.

"실은 돈이 들었어요."

"아아, 그렇군요. 지갑을 말하는 건 아니죠? 얼마?"

잠시 주저하다가 "천만 엔" 하고 솔직하게 대답했다. 이런 대화를 들으면서도 핸들을 움직이는 손놀림이 한 치도 흐트러지지 않는 쓰키오카에게 내심 감탄했다. 그리고 감탄할 여유가 있는 나 자신을 느끼며 약간의 자신감도 되찾았다.

"좀 봐도 돼요?"

가노가 손을 내밀었다. 손가락이 이상하리만큼 길다. 가늘고 울퉁불퉁해서인지 사냥감을 포획하는 거미 다리를 연상시킨다.

거절하지 못하고 순순히 배낭을 건네자 가노는 배낭 안에 손을 집어넣어 갈색 종이 꾸러미를 꺼냈다. 곧장 "열어 볼게요" 하고 종이를 펼친다.

"돈이 맞네요. 무슨 돈이에요?"

"얼마 전 핸드폰에 문자가 왔어요. 사용료니 배상금이니 뭐니 하면서 천만 엔을 부치지 않으면 법적 조치를 할 거라고……."

"전형적인 피싱 문자네요."

"그 문자를 보자마자 당황해서 얼른 돈을 부쳐야 할

것 같아 은행에 가기로 했어요. 동네 은행을 가기는 좀 그래서 버스를 타고 모르는 곳에서 내렸죠. 그게 아까 거기예요. 하지만 막상 버스에서 내리니 역시 좀 고민이 돼서 우물쭈물하는 동안 보이스 피싱 사기 포스터를 보고 깜짝 놀랐어요. 이거 사기 맞죠? 그대로 돈을 부쳤으면 큰일 날 뻔했죠?"

"당연하죠."

나는 가슴에 손을 얹고 요란하게 한숨을 내쉬었다. 말투와 목소리로는 분간하기 어렵지만 가노가 순순히 믿어 줄 것 같지 않다. 계속 연기해야 한다.

"돈을 뺄 때 은행에서는 뭐라고 안 하던가요?"

"아, 장롱에 보관해 뒀던 돈이에요."

그렇게 대답한 후 지폐 다발이 띠에 묶여 있던 것을 떠올렸다.

"몇 년인가 전에 은행이 부도났다는 뉴스를 보고 걱정돼서 전부 빼 왔어요."

"그렇군요. 핸드폰에 왔다는 그 문자 좀 볼 수 있을까요?"

"이런, 아까 지워 버렸어요. 죄송해요. 무서워서 저도 모르게 그만."

"그렇군요. 아무튼 뭐, 피해가 없어서 다행입니다."

뜻밖에도 가노는 배낭을 순순히 돌려줬다. 하마터면 안도의 한숨을 내쉴 뻔했지만 아직 방심해서는 안 된다. 뭔가 다른 꿍꿍이가 있을지도 모른다.

이번에는 내가 먼저 물어보기로 했다.

"혹시 버스 정류장에서 제게 말을 거신 것도 이럴 줄 알고 그랬던 건가요?"

"설마요. 거기까지 어떻게 알겠어요. 그냥 뭔가 안절부절못하는 것 같아서 무슨 문제라도 있나 생각했죠. 배낭을 계속 신경 쓰는 것 같았고."

그랬을지도 모른다. 내 태도가 상대에게 그런 인상을 줄지는 예상 못했다. 하지만 가노의 말을 듣고 속이 후련해졌다. 그런 이유로 나를 주목했다면 조금 전 나눈 대화로 의심은 풀렸을 것이다.

"저, 숨겨서 죄송합니다. 그런 엉터리 사기에 속을 뻔한 저 자신이 너무 한심하고 부끄러워서……."

"그렇게 당하는 분들이 요새 꽤 많기는 합니다. 혹시라도 또 그런 일을 겪으면 장롱 문을 열기 전에 파출소부터 오세요. 아니면 112에 신고하시던가. 한심한 건 속는 사람이 아니라 속이는 놈들이니까요."

과연 그럴까. 속으로 반론해 본다. 자신의 욕망과 부주의 때문에 넘어간 피해자들에게 전혀 잘못이 없다고 할 수 있을까.

가노는 역시 경찰이다. 평생을 정의의 편에서 살아온 사람은 어쩔 수 없이 악을 선택하게 된 인간의 마음을 진정으로 이해하지 못한다. 경찰이 돕는 건 약자가 아니라 옳은 사람이다. 옳지 못한 약자의 필사적인 몸부림은 저열한 범죄로만 인식한다.

내가 어느 쪽에 선 사람인지 가노는 지금 완전히 잘못 보고 있는 듯하다. 속아 넘어간 것이다.

"미즈노 씨."

"죄송해요. 조금만 쉴게요. 마음이 진정되니 갑자기 피로가 확 몰려와서."

배낭을 다시 허벅지 위에서 끌어안고 눈을 감았다. 가노는 더는 입을 열지 않았다.

근처에서 세워 달라고 했는데도 경찰차는 빌라 주차장에 차체를 반쯤 걸치는 모양새로 멈춰 섰다. 가노가 차에서 내려 뒷문을 열어 줬다. 서늘한 공기가 살갗을 파고들었지만 오히려 상쾌했다.

"태워다 주셔서 고맙습니다."

후련하게 고개를 숙였다. 그때 가노가 내가 들고 있던 배낭을 옆에서 휙 낚아챘다.

"집까지 같이 가시죠."

"아뇨, 괜찮아요. 바로 옆이라."

"에이, 그러지 마시고. 밋짱. 그동안 차 좀 갖다 놔 줘."

가노가 발걸음을 떼서 어쩔 수 없이 뒤따라갔다. 어디선가 고양이가 고함치듯 날카롭게 울고 있다.

"사랑에 빠진 고양이네요. 나도 어디 좋은 사람 없으려나."

"혼자 사세요?"

"아, 이혼했습니다. 마음 같아서는 이 동네에 눌러살고 싶은데 그러려면 아내가 있는 편이 나아서."

가슴속에 선망과 질투가 고개를 들었다. 젊은 시절부터 끊임없이 느꼈지만 애써 무시해 온 감정이다. 하고 싶은 대로 할 수 있는 사람은 선택된 인간들뿐이다.

101호실 창문에 불빛이 보였다. 지금 당장 문을 열어 하루토에게 다녀왔다고 하고 싶은 충동에 휩싸였다. 물에 젖은 행주처럼 온몸이 녹초가 된 것을 깨닫는다.

그때 마치 텔레파시가 통한 것처럼 문이 열렸다. 추운 듯이 어깨를 움츠리며 집 밖에 나온 가나에는 나와 가노를 보고 순간 얼굴이 굳었다. 경찰에게 호의적일 수 없는 삶을 살아온 것이 엿보였다.

"길에서 갑자기 몸이 안 좋아져서 경찰분이 바래다주셨어."

설명하는 내 옆에서 가노가 환하게 웃으며 "안녕하세요"라고 인사했다. 가나에는 어떡해야 좋을지 모르는 사람처럼 눈을 치뜨고 가노를 보며 살짝 고개를 숙였다.

"지금은 괜찮으세요?"

내게 물으면서도 시선은 계속 가노를 힐끔거린다.

"응. 일어서다 잠깐 어지러워서 비틀거렸을 뿐이야."

가나에를 얼른 보내 주고 싶어서 서둘러 대화를 끝마쳤다. 재빨리 집에 들어가는 가나에는 손톱에 봄의 전령 같은 분홍색 꽃이 피어 있었다. 오늘 밤은 일하러 나갈까. 요즘 쉬는 날이 많아진 건 애인이 생긴 것과 무관하지 않을 것이다. 고가라는 그 남자는 처음 소개받은 그날부터 제집 드나들 듯 가나에의 집을 오가고 있다. 가나에는 그를 언제까지 믿고 따를까.

피로가 두 배로 느껴졌다. 집 앞까지 무거운 몸을 질질 끌고 가서 가노를 돌아봤다.

"오늘은 정말 감사했어요."

가노는 인사를 받고도 배낭을 돌려주지 않고 대신 종이 한 장을 내게 내밀었다. 보아하니 '순찰 연락 카드'라고 적혀 있다.

"기왕 온 김에 받아 가게요. 사건 사고, 재난과 맞닥뜨렸을 때 안위를 확인하고 긴급히 연락할 때 씁니다."

그런 건 바라지도 않고 개인 정보를 알려 주고 싶지도 않았다. 그러나 거절하면 이상하게 생각할지 모른다.

"나중에 써서 파출소에 가져갈게요. 오늘은 피곤해서."

"그럼 며칠 뒤에 받으러 올 테니 그때까지 부탁해요."

가노는 배낭과 카드를 들고 내가 문을 열고 들어갈 때까지 기다리려는 듯했다. 그것들을 받으려고 손을 내밀기 전에 가노가 먼저 입을 열었다.

"이걸 들고 문을 열려면 힘들잖아요."

"그 정도는 괜찮아요."

"아직 몸이 안 좋아 보이니 집 안에 들어가는 것까지 보고 갈게요."

마스크 아래에서 입술을 깨물며 집 안 상태를 떠올렸다. 작은 원룸이다. 들어가자마자 부엌이 있고 안쪽 방 사이에 칸막이가 있지만 나갈 때 일일이 닫지는 않아서 현관에서 훤히 보인다. 냉장고에는 하루토가 준 그림이 붙어 있다. 옷장에는 란도셀, 그 위 천장에는 검은돈이 있다. 협박 편지는 중요 서류를 담는 서랍 속에 넣어 두었다.

"혹시 뭐 문제라도?"

괜찮아. 별일 없어. 그렇게 스스로 되뇌었다. 코트 주머니에서 열쇠를 꺼내자 가노가 눈치 빠르게 물었다.

"차를 갖고 계시네요."

키홀더에 차 열쇠도 달려 있었다.

"골프장 이곳저곳에 다니려면 역시 차가 있어야 편해서요. 가까운 곳이나 잘 모르는 곳에 갈 때는 전철과 버스를 타고 가기도 하는데."

그리고 상대에게 내 차를 보여 주고 싶지 않을 때도.

"네. 영차."

내가 집 안에 들어가고서야 가노는 배낭을 바닥에 내려놨다. 감사 인사를 하고 그가 내민 순찰 연락 카드를 받아 들었다. 미즈노 미쓰요라는 이름으로 제출할 수밖에 없어 보인다.

"그런데 미즈노 미쓰요라는 이름이 본명 맞아요?"

"네?"

순간적으로 허를 찔린 탓인지 당혹감을 뛰어넘은 동

요가 목소리에 실렸다. 그 실수가 나를 더욱 당황하게 했다.

"그게 무슨 뜻이에요?"

"아, 미쓰요 씨라면 보통 '밋짱'이라는 별명으로 불릴 것 같아서요. 지금은 아니어도 한때 그렇게 불린 시절이 있지 않아요? 그래서 밋짱이라고 부르는 소리를 들으면 자연스럽게 반응할 수도 있겠다고 생각했습니다. 꼭 나를 부르는 게 아닌 걸 알아도요. 그런데 아주머니는 제가 쓰키오카를 밋짱이라고 불러도 전혀 반응이 없어서 좀 이상하다 싶어서."

그의 느긋한 말투와는 정반대로 내 심장은 빠르게 뛰기 시작했다. 그런 걸 떠올리다니. 충격 때문에 위축되려는 마음을 간신히 다잡고 짐짓 불쾌해하는 모습을 보였다.

"그건 가노 씨가 아직 젊어서 그래요. 분명 그렇게 불리던 시절은 있었는데 이미 오래전이에요. 이 나이에 제가 그런 호칭에 반응하겠어요? 고작 그런 이유로 절 의심하다니."

그러자 가노는 "아, 그런가요, 실례했습니다" 하고 어깨를 으쓱했다. 그러나 믿지 않는 게 확실하다. '도대체

날 왜 이렇게 괴롭혀요!' 하며 그의 팔을 붙잡고 외치고 싶었다. 가노가 나를 의심한 것은 버스 정류장에서 내 거동이 불안해 보였기 때문이다. 그리고 그 의심은 사기 문자에 속았다는 설명으로 해소됐다. 해소됐다고 믿었다.

"그런데."

"또 뭐요?"

굳이 연기할 것도 없이 날 선 목소리가 튀어나왔다. 스트레스 때문에 눈꺼풀 아래가 떨리기 시작했다. 가노는 전혀 개의치 않는다.

"아주머니네 댁에는 불단이 없나 봐요."

"갑자기 무슨 불단이요?"

"향냄새가 안 나서."

"네?"

"배낭을 열었을 때는 향냄새가 풍겼는데."

순간 머릿속이 새하얘져서 무심코 마스크에 손을 갖다 댔다. 돈이다. 다키모토의 집에서 훔친 돈은 불단 수납함에 들어 있었다. 그 돈에 향냄새가 스며든 게 분명하다. 마스크 때문에 맡지 못한 것이다.

"배낭 안에 그런 냄새가 날 만한 물건은 없었으니 그

돈뭉치에서 풍겼겠죠?"

혀가 마비된 것처럼 움직이지 않는다. 움직인다 해도 무슨 말을 해야 믿어 줄까. 머릿속에 한마디도 떠오르지 않았고 이마에서 진득한 땀이 배어났다.

"그리고 그 돈 말인데."

생각할 시간을 주지 않았다.

"위조지폐죠?"

대체 무슨 말을 하는 건지 이해할 수 없었다. 위조지폐? 위조지폐라니.

우두커니 선 내 옆에서 가노가 배낭을 열어 돈뭉치를 꺼냈다. 종이를 까서 백만 엔 다발 한가운데에 엄지를 집어넣고 살짝 들어 올린다.

눈을 의심했다. 지폐와 색이 비슷하고 크기가 똑같지만 아무것도 인쇄되지 않은 빈 종이가 그곳에 있었다.

"그냥 종이는 위조지폐라고 할 수도 없으려나."

가노가 종이를 훌훌 넘긴다. 진짜 지폐는 제일 위에 있는 두어 장뿐이었다.

"몇 년 전 은행에서 빼 온 돈이라고 했죠? 그리고 이걸 입금하려고 하셨고요. 천만 엔에는 한참 모자란 것 같은데."

온몸이 소름이 돋고 어금니가 딱딱 소리를 냈다. 뭐가 뭔지 알 수 없다. 그러나 돌이킬 수 없는 실수를 저질렀다는 것만은 알 수 있었다.

"오늘 아주머니가 있던 버스 정류장 부근에 혼자 사는 영감님이 한 분 계시는데, 치매기가 있어서 불단 수납함에 천만 엔을 숨겨 뒀다고 여기저기 떠벌리고 다닌다네요. 딸이 아무리 주의를 줘도 말을 안 들어서 결국 어쩔 수 없이 돈을 몰래 빼서 은행에 넣었다고 합니다. 그리고 돈을 뺀 걸 알면 화를 낼 게 뻔하니 가짜 돈다발을 대신 수납함에 넣었다더군요. 그런 행동이 옳은지 그른지를 떠나 아무튼 그런 사정이 있으니 아버지를 잘 좀 지켜봐 달라고 딸이 파출소에다 부탁했습니다. 실제로는 보지 못했는데 그 가짜 돈이 이렇게 생겼군요."

땀이 식어 가는 데도 피부가 비닐이라도 된 것처럼 무디게 느껴졌다.

"혹시 아주머니한테도 그런 딸이 있어요?"

이쪽을 바라보는 가노는 더는 웃고 있지 않다.

"불심 검문이에요? 이런 식으로 하셔도 증거는 되지 않……."

간신히 쥐어짠 목소리가 끝까지 이어지지 않고 사라

졌다.

"아뇨. 그냥 하는 소리예요. 근데 지금부터는 제대로 물을 테니 본인의 의사로 자유롭게 대답해 주세요. 이 돈은 아주머니 돈이 아니죠?"

천천히 숨을 내쉬고 고개를 끄덕였다. 훔쳤느냐는 질문에 "네, 맞아요"라고 대답했다.

역시 나이가 들었다고 새삼 느꼈다. 조금만 젊었다면 어떻게든 도망칠 길을 만들어 저항했을 것이다. 아마 하루토를 만나기 전이었다면. 가족 놀이가 생각보다 즐거워서 도망쳐야 할 순간에 도망치지 못했고, 그때 이미 이렇게 될 것은 정해져 있었다.

"무슨 일이 있었는지 얘기해 주세요. 지금이라면 자수가 될 수도 있으니."

"……조금만 기다려 주실래요?"

방 안에 들어가 고타쓰 테이블을 깨끗이 치우고 란도셀 매장에서 받은 메시지 카드를 펼쳤다. 그렇게 고심했는데도 진부한 말밖에 떠올리지 못하는 나 자신이 싫어졌다.

펜을 내려놓고 옷장에서 란도셀이 든 종이봉투를 꺼냈다. 지금 막 다 쓴 메시지 카드를 정중하게 안에 넣는다.

"이걸 옆집에 가져다주세요. 조금 전에 만난 가나에 씨가 사 놓은 걸 제가 맡아 두고 있었어요. 애를 놀래 주려고."

들어줄지 알 수 없는 도박이었다. 염치없다는 말을 들을 각오도 했지만 이런 특이한 경찰이라면 들어줄지 모른다는 작은 희망을 느꼈다.

란도셀을 등에 멘 하루토를 떠올린다. 환한 빛에 둘러싸여 미소 짓고 있다.

머릿속에 떠오른 것은 역시나 진부한 말이었다.

하루토, 입학 축하해.

*

벚꽃 잎을 실은 강물이 발밑을 유유히 흘러간다.

그 풍경에 정신이 팔려 귓가에 닿는 소리를 제대로 듣지 못했다.

"미안. 뭐라고?"

—고지마 다에코는 협박을 받았다고 해.

가노는 요새 뉴스에서 자주 들리는 이름을 한자로 떠올렸다. 미즈노 미쓰요의 본명이라고 한다.

절도를 인정하고 자수한 다에코는 고령 남성들을 대상으로 사기도 저질렀다고 털어놓으며 경찰을 놀라게 했다. 미즈노 미쓰요는 여러 가명 중 하나이고 일본 각지를 돌아다니며 그때그때 다른 사람이 되어 살았다. 범죄에서 손을 떼지 못한 삶이었지만 언론에서 '노인에 의한 노인 사기'로 떠들썩하게 보도된 일련의 행위는 성性과 얽힌 저속한 관심까지 더해져 한 달이 지나도록 지금껏 세간의 주목을 받고 있다. 그중에는 입건 가능한 건도 다수 포함돼 있었다. 왜 불리한 고백을 했느냐는 수사관의 질문에 다에코는 '이제는 지쳤다'라고 대답했다고 한다.

—자네는 그 여자가 협박받은 것까지 알아챈 거야?

하자쿠라의 언짢은 듯한 목소리가 스마트폰 스피커를 통해 들린다. 가나가와 현경 수사1과의 예전 동료는 늘 이렇게 뿔이 난 것처럼 말한다. 수사에서 혁혁한 공을 세우거나 사랑하는 딸의 생일을 축하할 때도.

하자쿠라는 다에코의 자수를 이끈 사람이 가노인 것을 깨닫고 관할 밖 사건인데도 이후 수사를 통해 밝혀진 정보를 아는 범위에서 설명해 주겠다며 내게 전화를 걸었다. 형사로 돌아와. 마지막에는 귀에 못이 박히도록 들은 그 말을 또다시 전하기 위해.

"설마. 그럴 리가."

가노는 웃어넘기며 부인했다. 사실 거기까지 전부 예상했던 것은 아니다. 다만 그녀가 충동적으로 절도를 저지를 사람은 아니라고 봐서 뭔가 있으리라고는 짐작했다.

—감은 녹슬지 않았군.

가노는 마지막으로 하려던 말을 떠올린 듯했다. 그전에 가노는 서둘러 먼저 물었다.

"그래서, 그 협박이란 건?"

—아직 그 일을 마음에 두고 있나?

질문이 겹쳐서 두 사람 다 말없이 상대의 대답을 기다렸다. 몇 초의 기 싸움 끝에 먼저 꺾인 사람은 하자쿠라였다.

—다에코의 방에서 협박장이 나왔어. 사기를 저지른 게 공개되기 싫으면 천만 엔을 준비하라고 적혀 있었더군. 보낸 사람 이름은 비어 있었고. 그래서 다에코는 그 편지를 가지 아케미와 데라사키 노조미가 보냈다고 생각한 모양이야.

사기단의 멤버였던 두 사람은 돈을 들고 자취를 감췄

지만 얼마 안 돼 체포됐다.

—실제로 보낸 사람이 누구였을 것 같나?

가노는 "글쎄" 하고 말끝을 흐렸다. 하자쿠라가 한숨을 내쉬었지만 이미 예상했는지 무리하게 대답을 요구하지는 않았다.

—마쓰노 가나에와 고가 신야. 마쓰노는 옆집에 사는 여자고 고가는 그 여자의 남자 친구야.

다에코를 체포한 날 밤에 집 앞에서 만난 여자를 떠올렸다. 그 당황하는 모습은 단순히 경찰을 싫어하는 사람으로는 보이지 않았다. 평정심을 가장하기에 배짱과 인생 경험이 부족했으리라. 여러 번 염색한 듯한 머리카락에서는 담배 냄새가 훅 풍겼다.

다에코의 집에 들어갔을 때 빌라의 집 사이 벽이 놀라울 만큼 얇다는 것을 깨달았다. 반대편 옆집인 103호에서 물소리와 TV 소리가 고스란히 들렸기 때문이다. 그러나 다에코는 신경 쓰는 기색도 없이 약간 큰 목소리 그대로 대화를 이어 갔다. 나이가 들어 귀가 어두워진 데다가 노인끼리 모여서 대화할 때가 많았으니 자각하지 못했을 것이다. 한편 101호에는 사람이 있을 텐데도 묘하게 아무 소리도 들리지 않았다. 숨죽이고 귀 기울이고 있었을 것이 분명하다.

—다에코의 삶은 그 얇은 벽을 통해 옆집에 고스란히 전해졌어. 즉, 전화로 동료들과 나눈 대화까지 전부 새어 나간 거야. 고가와 가나에는 다에코가 천만 엔이라는 금액을 말하는 것을 듣고 평소에도 그 정도 액수의 돈을 굴린다고 믿었고, 그렇다면 돈을 순순히 줄 수도 있겠다고 짐작한 모양이야. 아케미와 노조미가 도망쳤다는 소식을 듣고 이런 상황이라면 의심이 그 둘에게 쏠리는 동시에 협박에 신빙성도 생길 거라고 계산했다고 해. 주범은 아마도 고가겠지만 당사자는 가나에 혼자 저지른 짓이고 자기는 모르는 일이라고 잡아떼고 있어.

"다에코 씨에게 그 이야기는?"

—전했지만 별다른 반응은 없었나 봐. 그런데 다에코는 젊은 시절에 남자에게 휘둘려서 횡령 사건을 저지른 적이 있어. 그때 붙잡힌 사람은 다에코 혼자였어.

다에코는 가나에에게서 자신의 과거 모습을 겹쳐 본 걸까.

—그런데 가지 아케미가 묵비로 일관하고 있어서 수사관이 애를 먹고 있다고 해.

"그래?"

—자네라면 충분히 자백을 받아 낼 텐데.

하자쿠라의 목소리에 힘이 실렸다. 가노는 싱긋 웃으며 흘려 넘겼다.

"나랑 떠들 시간 있으면 아내한테나 잘해. 디저트 뷔페 가기로 한 약속을 계속 미루고 있다며."

하자쿠라는 그 이상 말하지 않았다.

전화를 끊고 주변을 둘러봤다. 함께 순찰 나온 쓰키오카는 조금 떨어진 곳에서 외국인에게 길 안내를 하고 있다. 몸짓으로 대충 알 수 있지만 무슨 말을 하는지는 전혀 알아들을 수 없다.

"어느 나라 말이지?"

"독일어입니다."

종종걸음으로 돌아온 쓰키오카는 의기양양해하는 기색도 없이 짧게 대답했다.

가노는 가볍게 다리를 흔들며 신발 끝에 붙은 꽃잎을 떨어뜨렸다.

"슬슬 가 볼까."

오늘은 걸어서 이 근방을 순찰할 계획이다. 벚꽃은 이미 한창때가 지났지만 그래도 봄의 작은 교토를 찾는 사람은 많다.

걸어가는 두 사람 옆을 초등학생들이 우르르 뛰어갔다. 이제 막 입학한 1학년인지 노란 커버의 란도셀이 유독 커 보인다. 햇빛을 받은 뒷모습이 반짝거리는 것처럼 보였다.

"밋짱. 어디서 화과자라도 사 가지. 화과자 잘 알지?"

쓰키오카의 본가에서 전통 과자점을 한다고 들었다.

"근무 중입니다만."

"에이, 딱딱하게 굴지 마. 애들도 입학 시즌이니."

반짝거리는 뒷모습이 점차 멀어진다. 그대로 어디론가 날아가 버릴 것 같았다.

# * 이름 없는 장미 *

무슨 일을 하느냐고 물으면 자영업이라고 대답한다. 기술직 프리랜서라고 할 때도 있다. 젊을 때는 솔직하게 도둑이라고 말해 보기도 했지만 아무도 믿지 않았다. 그러면 내 사교성이 부족한 탓에 장난이었다며 제대로 웃어넘기지도 못한다.

"너도 이제 슬슬 정신 차려야지. 벌써 마흔이 넘었잖니. 앞으로도 계속 도쿄에 살 생각이야? 결혼은?"

어머니가 사고로 입원했다고 해서 만사 제쳐 놓고 달려갔더니 맥이 빠질 만큼 건강한 것으로 모자라 귀찮은 설교까지 시작돼 버렸다. 얼굴을 마주하는 건 재작년 지진 이후 처음이다. 몇 번인지 모를 체포를 끝으로 아들이 범죄에서 손을 뗐다고 믿고 있지만 제대로 된 일은 하지 않는다고 생각하는 듯하다. 무슨 상상을 하는지 굳이 묻지는 않았다.

"이건 뭐야?"

뭐든 좋으니 화제를 바꾸려고 머리맡에 놓인 꽃병 속 꽃을 눈으로 가리켰다. 장미처럼 보이지만 그렇다고 하기에 뭔가 화려함이 부족하고 수수한 느낌이 든다. 색은 아주 연한 보라색으로 꽃잎이 물결치는 모양을 그리고 있다.

"예쁘지? 간호사 선생님이 주셨어. 희귀한 장미래."

역시 장미였나. 꽃 같은 건 잘 모르지만 확실히 예쁜 꽃이다. 코를 갖다 대니 달콤한 향기가 은은하게 풍긴다. 그러나 코를 떼는 순간 잊어버릴 만큼 아주 희미한 향기다.

문을 두드리는 소리가 들려서 어머니가 다소곳이 대답했다. 안에 들어온 젊은 간호사는 옅게 화장한 얼굴에 자연스러운 미소를 짓고 있다. 나를 보며 "안녕하세요" 하고 인사할 때는 살짝 큰 입가에서 하얀 치아가 언뜻 보였다. 하나로 묶은 갈색 머리가 시바견의 짧은 꼬리처럼 가볍게 흔들린다. 간호사 유니폼 가슴가에는 '하마모토'라는 이름표가 붙어 있었다.

나는 엉거주춤 일어서서 어색하게 고개를 숙였다.

"어머니가 신세를 지고 있습니다."

"아, 아드님이세요?"

그러자 어머니가 "맞아요. 저 나이 먹도록 놈팽이라 부끄럽지만" 하고 끼어들었다.

"갑작스러운 사고 소식에 놀라셨죠?"

"네, 뭐."

내가 태어난 지 얼마 되지 않아 아버지와 이혼하고 지금껏 혼자 힘으로 나를 길러 준 어머니다. 지금은 이곳 가미쿠라에서 찻집을 운영하며 홀로 살고 있다.

"장미를 선물해 주신 간호사 선생님이셔. 되게 잘해 주신단다."

하마모토는 겸손하게 고개를 숙였지만 어머니는 평소에도 빈말은 거의 하지 않는다.

"감사합니다. 장미까지 선물해 주시고."

"아뇨, 별거 아니에요. 저희 집 정원에 피어 있던 꽃이거든요. 아버지가 취미로 원예를 하세요. 저도 옆에서 돕고는 있지만 전 매력을 잘 몰라서."

장난기 어린 웃는 얼굴이 눈부셨다. 눈에 띄는 미인

은 아니지만 인기가 많을 것이다.

다음으로 다시 병원을 찾았을 때 하마모토가 환자에게서 욕설을 듣고 있었다. 조금만 들어도 불합리한 언어폭력인데 꾹 참고 상대를 달래고 있다.

"선생님, 잠깐만요."

보다 못해 도와주려고 나서자 하마모토는 순간 울음을 터뜨릴 것 같은 표정을 지었다.

"정말 감사해요. 나쁜 환자분은 아닌데."

곧장 웃어 보였지만 상당히 당황했을 것이다.

그 일을 계기로 우리는 얼굴을 마주하면 허물없이 잡담을 나누는 사이가 되었다. 하마모토는 성이고 이름은 리에. 나이는 스물네 살로 가미쿠라 외곽에서 부모님과 셋이 살고 있다. 먹을 것을 좋아해 유명한 레스토랑에 가 보고 싶지만 좀처럼 시간이 나지 않아 계절 한정 메뉴를 세 번이나 놓쳤다. 일을 좋아하지만 가끔 어이없는 실수를 저질러서 크게 혼나고는 한다. 좋아하는 색은 파란색이고 가 보고 싶은 장소는 우유니 소금 사막.

어쩌다 보니 연락처를 교환하게 된 후 리에에게서 매일같이 문자가 왔다. 평범한 인사부터 그날 일어난 일, 그리고 함께 어디 가자는 권유까지.

혹시 리에가 내게 호감을 품고 있는 걸까. 몇 번이나 그런 생각을 떠올렸다가 말도 안 된다며 떨쳐냈다.

난 어릴 때부터 할리우드 영화를 좋아해서 멋진 남자에 대한 동경이 다른 사람보다 강했다. 특히 악당에게서 매력을 느꼈는데, 도둑이 된 것도 그 영향을 받았을지 모른다. 그러나 내가 그렇게 될 수 없다는 것은 잘 알고 있다. 평범한 외모에 말솜씨가 좋은 것도 아니고 더욱이 지금은 나이상 아저씨이기도 하다. 젊고 매력적인 리에가 내게 호감을 느낄 요소 따위는 눈을 씻고 찾아봐도 없었다.

그러나 어머니의 눈에도 리에가 내게 호감이 있어 보였는지 어머니는 "저렇게 참한 아가씨가 왜?" 하고 이따금 고개를 갸웃거렸다. 어머니가 아는 사람 중에 가장 구제 불능이 전 남편이고 두 번째가 아들이라고 했다.

"물론 리에 같은 여자가 우리 집에 시집을 온다면야 엄마는 만만세지만."

"무슨 소리야. 간호사 선생님한테 리에라니. 혹시라도 본인 앞에서는 절대 그런 소리 하지 마."

뻔뻔한 어머니의 말을 듣고 나는 부끄러워서 얼굴이 화끈 달아올랐다. 나 자신이 그런 망상을 해 본 적이 있으니 더욱 그랬다.

그러나 난 실은 리에와 앞으로 관계가 더 돈독해지는 것을 바라지 않는다. 나는 도둑이다. 이제 와서 제대로 된 직장을 찾을 리 없고 그런다고 전과가 사라지는 것도 아니다.

리에가 어디를 함께 가자고 할 때마다 족족 사정이 있다며 거절했다. 그러나 리에는 포기하지 않고 "그럼 다른 날은 어때요?", "언제가 괜찮아요?" 하고 계속 물었다. 내 마음에 깃든 상반된 감정을 알아챘을지도 모른다.

이대로는 안 된다. 내 의사를 확실히 전달하자. 리에 씨와 사적으로 만날 마음은 없다고. 그녀를 위해 그렇게 하는 것이다. 인생에서 한 번쯤은 나도 멋진 행동을 해 보자.

마침내 마음을 굳게 먹고 처음으로 데이트 신청에 응했다. 높직한 산 전망대에서 작은 교토라고 불리는 오래된 마을 풍경을 내려다보며 리에가 만들어 온 도시락을 함께 먹었다. 하나하나 다른 재료로 만든 주먹밥과 풋콩, 명란젓, 치즈가 든 계란말이, 냉동이 아닌 닭튀김과 크로켓, 그야말로 건강에 좋아 보이는 샐러드와 채소 조림까지.

바쁠 텐데도 정성 들여 만든 도시락에서 그녀의 마음이 전해졌다. 어느 때보다 들뜬 모습에 더욱 가슴이 아팠다. 역시 이렇게 계속 회피하는 것은 도리가 아니다.

"쇼고 씨, 언제까지 여기 있을 생각이에요?"

"내일 도쿄로 돌아갑니다. 그리고 앞으로 두 번 다시 만나지 못할 겁니다."

리에는 내 말을 듣고 바로는 이해하지 못한 듯했다. 그녀의 얼굴에서 최대의 매력 포인트인 천진난만한 미소가 조금씩 사라진다.

"……왜죠?"

"전 도둑입니다. 전과도 있고요."

거짓말을 하면서 관계를 어중간하게 끝내는 것은 예의가 아니라고 생각했다. 하지만 이 역시 자기만족일 뿐일 수도 있다.

리에가 누가 봐도 상처 입은 표정을 지어서 나는 당황했다.

"제가 그렇게 싫으면 그냥 솔직하게 말해 주면 될 텐데."

"전 정말……."

"됐어요!"

필요할 때마다 아무렇지 않게 여자를 갈아치우는 악당 캐릭터를 동경해 왔다. 그러나 막상 이렇게 되고 보니 기분이 별로 좋지 않았다. 두 손으로 얼굴을 감싼 리에가 적어도 내가 거짓말을 하는 것은 아니라고 이해해 주기를 바랐다.

"증명할 수도 있습니다. 리에 씨가 원하는 게 있으면 뭐든 훔쳐다 줄게요."

그러자 리에는 입가에 미소를 띠었다. '그렇게까지 해서 절 버리고 싶으신가 봐요'를 담은 쓸쓸한 미소인 동시에, '정말로 훔쳐 달라고 시킬 거예요'가 담긴 심술궂은 미소이기도 했다.

"그럼 장미, 장미 한 송이를 훔쳐다 주세요. 옆 동네에 오타 씨라는 분이 사는데 장미 저택으로 유명하니 가 보면 바로 아실 거예요. 밀크티색 장미. 10센티도 되지 않는 작은 꽃이고 모양은 찻잔을 닮았어요."

리에에게 어울리지 않는 미소가 더 슬퍼 보였다.

"알겠습니다."

일주일 뒤 나는 그 장미를 손에 넣었다. 오타의 집은 리에의 말 그대로 부잣집 저택이었지만 보안 수준은 숙련된 도둑의 침입을 막지 못했다.

훔쳐 온 장미를 손에 들고 리에의 집으로 갔다. 넓은 논밭 사이에 오래된 단층 주택이 드문드문 늘어선 마을로 한밤중이 되면 벌레 울음소리만 들리는 곳이었다. 광활한 하늘에는 달도 별도 보이지 않고 새벽부터 비가 내릴 거라는 일기예보대로 어둡고 습기 찬 어둠이 피부에 들러붙었다. 가로등이 없는 탓에 어둠이 한층 짙어 보였다.

쉽사리 집 안에 들어가 금세 리에의 방을 찾았다. 3.5평 남짓 되는 다다미방에는 출근용 가방과 백 엔 숍 비닐봉지, 펼쳐진 잡지와 잠들기 직전까지 입은 것 같은 숄이 마구잡이로 널려 있다. 값비싸 보이는 물건이 없고 난잡해서 꼭 학생 기숙사 같은 느낌이었다.

방 주인은 접이식 침대 위에서 잠들어 있었다. 잠든 얼굴을 보니 미간에 주름이 잡혀 있다. 뭔가 안 좋은 꿈이라도 꾸는 걸까. 그녀가 바라던 장미를 베개맡에 두었다. 밀크티색에 어울리는 달콤한 향기가 악몽을 길몽으로 바꿔 주기를 바랐다.

집 뒤쪽에 있는 밭으로 나갔을 때 하늘을 뒤덮고 있던 구름이 약간 걷혔다. 희미한 달빛이 비추는 광경을 보며 무심코 발걸음을 멈췄다. 사방이 장미다. 밭 절반을 차지하는 비닐하우스 안과 그 옆에 있는 맨땅에도 색과 형태가 각기 다른 장미가 흐드러지게 펴 있다. 무수한 색과 향기에 홀려 기분이 들떴다. 마치 장미에 취한 듯하다. 쓸데없이 감상적인 기분을 흔쾌히 허락하는 취기.

다시 한번 리에의 방 쪽으로 고개를 돌리며 환상적인 정원에 작별을 고했다. 달이 다시 구름에 가려지자 장미도 색을 잃었다.

도쿄로 돌아간 내가 어느 가정집에서 현금을 훔쳐 체포된 것은 그로부터 몇 주가 흐른 뒤였다.

경찰은 전부터 나를 주시했다고 했다. 경찰의 강압적인 수사에 여죄를 몇 가지 더 자백한 나는 4년 형을 받고 출소하자마자 4년 전 미처 끝마치지 못한 일에 다시 나섰다. 그때 표적으로 삼은 가정집에 또다시 침입한 것이다. 보안은 더 엄중해졌고 경찰의 감시도 신경 쓰였지만 어중간하게 일을 끝마치고 싶지는 않았다. 인생에 남은 빚이 되어 언젠가는 갚아야 할 것 같은 기분이 들었다.

명품 인테리어로 가득 찬 거실에 처음 발을 들였을 때 테이블 위에 놓인 잡지가 눈에 들어왔다. 표지 속에서

환하게 미소 짓는 여자의 얼굴을 왠지 어디선가 본 기억이 있다. 설마. 아니, 하지만.

장갑을 낀 손으로 잡지를 들어 상반신까지 찍힌 여자의 사진을 주시했다. 살짝 컬이 들어간 긴 머리카락에 누구나 알 만한 고급 브랜드의 옷. 목과 귀를 장식한 것은 진품 보석으로 보인다. 공들인 화장으로 만들어 낸 얼굴은 마치 도자기처럼 하얗게 빛나고 윤기 있는 붉은 입술은 우아한 곡선을 그리고 있다.

눈이 뻑뻑해서 몇 번 깜빡거렸다. 살짝 큰 입가를 활짝 펴고 웃음을 터뜨리는 모습을 상상하려 하지만 잘 떠오르지 않는다. 이 사진 속 여자는 그렇게 웃을 것 같지 않았다.

화려하고 세련된 미소에 '지나치게 예쁜 원예가 하마모토 리에'라는 글자가 붙어 있다. 분명 리에가 맞지만 내가 아는 리에는 아니다.

잡지를 원위치에 놓고 결국 아무것도 훔치지 않고 집을 나왔다.

인터넷에서 검색하니 하마모토 리에의 정보는 쉽게 찾을 수 있었다. 대부분 '지나치게 예쁜 원예가'라는 홍보 문구와 함께 소개돼 있고 원예와 관련 없는 방송과 잡지에도 자주 나왔다. 간호사 일은 이미 그만둔 것으로 보이고 원예가가 됐다기보다는 연예인으로 거듭난 느낌이 강했다. 본격적으로 이름을 알리게 된 계기는 그녀가 품종을 개량해 만든 신종 장미라고 한다. 밀크티색 장미.

리에를 만나야겠다고 생각했다.

다음 날 오후 가미쿠라시 외곽에 있는 하마모토 리에의 집을 찾았다. 지금도 그곳에 사는지 알 수 없었지만 확 바뀐 집 외관을 보고 여기가 맞으리라 확신했다. 도로와 인접한 넓은 정원을 가득 채운 것처럼 각양각색의 장미가 색과 높이 모두 균형감 있게 심어져 있다. 문 앞으로 뻗은 흰 오솔길에는 덩굴장미로 뒤덮인 아치가 있고 장미 회랑 끝에 유럽풍 하얀 가옥이 있었다. 동화처럼 우아하고 아름다운 건물. 4년 전 밀크티색 장미를 훔치러 들어간 집과 닮았다. 리에는 그 집을 동경했을까.

문에 붙은 경비 회사 스티커를 습관적으로 확인하며 카메라 달린 초인종을 눌러 봤지만 응답이 없다. 주변에는 여전히 논밭이 많고 따로 시간을 보낼 만한 장소도 보이지 않아 일단 그곳을 떠났다.

밤이 되어 다시 찾아가 초인종을 누르자 얼마 후 "네"

하는 젊은 여자 목소리가 들렸다. 리에의 목소리라는 확신은 없지만 그래도 가슴이 쿵쾅거렸다. 집 안에 있는 모니터에는 허름한 재킷과 청바지를 입은 40대 후반 남자가 비치고 있을 것이다. 무심코 표정이 굳어진다.

—쇼고 씨!

알아보지 못해도 어쩔 수 없다고 생각했지만 예상과 달리 리에에게 주저함이라고는 없었다. 곧장 자물쇠를 여는 소리가 들리더니 내가 주뼛거리는 동안 샌들을 신은 리에가 장미 회랑을 지나서 달려왔다. 지금 막 집에 돌아왔는지 수수한 디자인이 더욱 고급스러운 느낌을 주는 원피스 차림에 가슴가에는 큼지막한 목걸이가 달려 있다.

"날 만나러 와 준 거야?"

들뜬 목소리로 묻는 리에의 웃는 얼굴을 보며 나는 더욱더 당황했다.

"왜 그래?"

"아니, 잊어버렸을 줄 알았는데."

"잊을 리 없지. 아니, 잊을 수 없었어. 쇼고 씨는 내 은인이니까."

리에는 "자, 얼른 들어와" 하고 내 손을 잡아끌었다.

짧게 자른 손톱이 꼼꼼하게 관리돼 있음을 알 수 있다.

현관에는 신발이 한 켤레도 없었다. 모두 거대한 신발장 안에 들어 있는 듯하다. 리모델링 전의 집에 몰래 들어왔을 때는 리에의 부모와 리에의 신발이 난잡하게 널려 있었고, 그중에서도 흙이 묻은 고무장화 두 켤레가 눈에 띄었다. 리에는 장미를 기르는 사람은 아버지고 자기는 원예의 매력을 잘 모른다면서 겸연쩍게 웃었지만 옆에서 열심히 도와주는 것 같았다. 리에 역시 장미를 좋아한다고도 느꼈다.

"부모님은?"

"아버지는 돌아가셨어. 어머니는 지금 다른 남자랑 살고 있고."

리에가 안내한 방은 거실이라기보다 살롱이라고 불러야 할 만한 분위기였다. 하얀 벽과 천장에 둘러싸인 널찍한 공간 안에 호화로운 페르시아 카펫, 섬세한 디자인의 샹들리에, 생기 넘치는 관상용 식물, 현대 미술 회화, 세련된 유리 테이블, 진짜 가죽 소파 등이 여유롭게 배치돼 있다. 정원과 인접한 벽면은 통유리여서 커튼을 열면 장미 정원을 조망할 수 있을 것이다.

"집이 대단하네."

"도둑을 조심해야 해."

리에는 장난기 섞인 눈빛으로 농담하듯 말했다.

"와인 마실래? 아니면 뭐라도 먹을래?"

나는 침을 삼키며 목을 축였다.

"그보다 알려 줘. 조금 전에 날 은인이라고 한 건 그때 그 장미 때문이지? 널 유명하게 만들었다는 밀크티색 장미."

리에는 입을 다문 채 미소 지으며 내게 소파에 앉으라고 몸짓했다. 내가 앉지 않고 그대로 서 있자 리에도 앉지 않고 어깨를 으쓱했다.

"날 만나러 온 게 아니구나."

"인터넷에서 보니 네가 그 장미를 새로 품종 개량해서 만들었다던데."

"응, 맞아."

"아니잖아. 그건 내가 오타 씨 집에서 훔쳐 온 장미야."

"하지만 오타 씨는 품종 등록을 하지 않았지."

"그게 무슨……."

리에는 기다리라는 것처럼 침착하게 한 손을 들었다.

"무슨 일이 있었는지 순서대로 설명해 줄게. 발단은 4

년 전, 쇼고 씨가 가미쿠라를 떠난 지 얼마 안 됐을 때 일이야. 지역 방송국에서 아마추어 원예가인 아버지를 취재하러 왔어. 조기 퇴직도 마음대로 결정한 아버지니 취재도 물론 마음대로 받아들였지. 어머니는 화를 내면서 카메라 앞에 서지 않았지만 난 그때도 당연하다시피 옆에서 아버지가 하는 일을 도왔어. 방송국 입장에서는 화면에 나올 거면 중년의 아저씨보다 젊은 여자 쪽이 더 낫다고 판단했겠지? 아버지도 장미를 기르는 게 전부였고 딱히 명예 같은 데는 관심이 없었으니 결국 카메라와 마이크는 내게 향했어."

충분히 있을 법한 일이다. 리에는 젊었을 뿐 아니라 지금처럼 눈에 띄는 외모는 아니었어도 분명 매력적이었다.

"당시 난 쇼고 씨에게 받은 그 장미를 더 많이 피우고 있었어. 그저 내가 즐기기 위해서였고 쇼고 씨를 떠나보낸 슬픔을 달래고 싶기도 했어. 그런데 기자가 장미의 품종에 대해 물어서 무심코 이렇게 대답해 버리고 만 거야. '이름은 아직 없답니다'라고."

"아직 없다?"

"신종 장미를 등록하려면 농림 수산성에 신고해야 해.

그렇게 신종으로 인정받으면 신청자가 붙인 이름으로 등록되는 거야. 그 장미는 오타 씨가 개량해서 만든 신종이었어. 하지만 오타 씨는 등록 신청을 하지 않았지. 당시 아직 장미의 이름이 없었다는 건 그런 뜻이었어."

"오타 씨는 왜 신청하지 않았지?"

"나와 오타 씨가 하는 교잡 육종이라는 방법은, 쉽게 말하면 서로 다른 장미를 인공적으로 교배해서 종자를 만들어. 씨앗은 많이 생기지만 하나하나가 전부 다른 품종이 돼. 그것들을 키우는 과정에서 여러 번 선별해서 이거다 싶은 품종만 등록하는 거야. 출원료와 등록비도 드니까."

"그 장미는 선택받지 못했다는 뜻인가?"

리에는 "맞아" 하고 선뜻 대답했다.

"그대로 뒀으면 그런 장미가 탄생했다는 사실조차 모른 채 조용히 사라졌을 거야. 그런데 그 장미는 내가 만든 신종 장미가 되어 방송에 소개됐어. '지나치게 예쁜 원예가'라는 홍보 문구와 함께."

"그대로 두면 사라질 걸 살려 줬으니 네가 만든 장미라는 말이야?"

"적어도 오타 씨가 지금껏 나한테 항의한 적은 없어.

그저 포기한 건지도 모르지만. 그런데 오타 씨가 그 장미를 처음 세상에 내놓는 것보다 내가 내놓는 게 장미에게도 더 좋았던 것만은 확실해. 장미의 가치라는 건 장미 자체의 가치만을 말하는 게 아니야. 인기를 얻으려면 '로열 베이비'라는 이름이 붙는다든지, 만든 사람이 유명인이라든지 하는 부가 가치 부분이 더 중요하니까. 나처럼 평범한 외모의 여자에게 '지나치게 예쁜 원예가'라는 표현이 정말 맞는지는 모르겠지만, 덕분에 그 장미는 잘 팔리면서 지금껏 오래 사랑받을 수 있었어. 팔리지 않으면 등록비만 계속 지불하면서 등록을 유지해야 해. 그런 과정을 못 버티고 사라진 장미가 얼마나 많은지 알아?"

받아칠 말이 없었다. 태연하게 이야기하는 리에에게는 나쁜 짓을 했다는 자각이 없어 보인다. 아니면 스스로를 정당화해서 그렇게 믿으려는 것뿐일까.

"……너, 변했구나."

간신히 그렇게 입을 떼자 리에는 한쪽 볼만 씰룩이며 미소 지었다.

"쇼고 씨가 무슨 생각을 하는지는 알겠는데, 난 지금의 내 모습이 좋아. 그저 떠밀리듯 간호사가 돼서 못 말리는 아버지의 장미 원예 취미를 내키지 않아도 옆에서 돕고, 사소한 행복과 인내심의 균형을 맞추며 지금껏 성실히 살아왔어. 돌이켜보면 그보다 더 따분한 삶은 없었던 것 같아. 사치를 부리고 주변 사람들이 나를 우러러봐 주는 게 얼마나 기분 좋은지 알아? 내 삶의 주인공은 나라는 걸 태어나서 처음으로 실감하고 있어."

무의식적인지 몰라도 리에는 조금 전부터 목걸이를 계속 만지작거리고 있다. 평소라면 자연스럽게 값어치부터 매길 텐데 지금은 그런 안목도 사라졌다.

"그게 정말 네 행복이야?"

절도라는 씨앗에서 거짓말이라는 싹을 틔우고 매스미디어에 의해 피어난 허구의 꽃. 그것이 바로 '지나치게 예쁜 원예가' 하마모토 리에다.

"요새는 신품종을 발표하는 것 같지도 않던데."

그러자 리에는 날카롭게 나를 노려봤다.

"씨앗을 뿌리고 제대로 된 형태를 갖추기까지 10년 정도 걸려. 그렇게 공장에서 찍어내듯 만들 수 있는 게 아니야."

"그럼 네가 전에 발표한 몇몇 품종은 유명해지기 전부터 재배하던 거였나?"

"그냥 재미로 만든 것들이야. 그때는 가치 같은 건 염두에 두지도 않았어."

그래서 별로 인기가 없었다고 리에는 말하고 싶은 듯하다. 그러나 리에가 유명해진 것을 고려하면 꼭 부가가치만의 문제는 아닐 것이다. 인터넷에서 떠도는 평판을 보면 리에가 새로 만들어 낸 장미들은 아름다움이나 진귀함 면에서 모두 오타에게서 훔친 장미에 크게 미치지 못하는 듯했다.

요행이라는 단어가 머리를 스쳤다. 처음부터 요행이었다. 하마모토 리에에게는 장미를 새로 육종할 감각과 능력이 없다. 한마디로 원예가 취미인 연예인. 그러나 연예인으로서도 재능이 없고 외모가 눈에 띄게 예쁜 것도 아니다.

그런 내 생각을 읽은 것처럼 리에는 목걸이를 만지작거리는 손에 힘을 실었다.

"팔릴 만한 품종을 만드는 게 그리 쉽지 않아. 꽃의 색, 크기, 형태, 꽃잎 수, 향기, 가시 수, 질병에 대한 내성…… 그런 다양한 요소를 고려하고 또 고려해 기도하는 심정으로 하고 있어. 그런 것에 대해서는 하나도 모르는 사람들이 제멋대로 지껄여 대기나 하고."

리에는 번뜩이는 눈빛으로 나를 뚫어지게 바라봤다.

"부탁이 있어, 쇼고 씨. 나를 위해 한 번만 더 장미를 훔쳐 줘."

충격을 느낌과 동시에 이해도 됐다. 리에가 나를 지금껏 잊지 않은 것은, 다시 만나기를 그렇게나 바라 왔던 것은 결국 이 부탁을 하기 위해서였다.

"이런 타이밍에 쇼고 씨를 만난 건 운명이야. 이것 좀 봐. 얼마 전에 친구가 보낸 사진인데."

리에가 내민 스마트폰 화면에는 토이푸들 강아지가 찍혀 있고 그 너머에 나이를 가늠하기 어려운 중년 여성이 서 있었다. 사진의 초점이 잘 맞지 않지만 깡마르고 키가 크며 밝은 햇살과는 어울리지 않는 긴소매의 검정 롱 원피스를 입고 있다. 머리카락도 검고 이상하리만치 길어서 뒤로 땋은 머리가 거의 무릎까지 맞닿아 있다.

"친구의 고모인데 취미로 장미 육종을 한다고 해. 이것 봐. 개 뒤에 화분에 심은 장미가 보이지? 이 가지를 잘라서 갖다줘."

나는 말없이 시선을 떨궜다. 꽃잎이 뾰족하고 가운데 심이 불거진 꽃으로 개 크기와 비교하니 꽃송이가 제법 커 보인다. 색은 밖으로 갈수록 노란색에서 빨간색으로 그러데이션을 이루고 중심의 선명한 노란색은 투명한 금빛으로 반짝이는 것처럼 보인다. 화려하면서도 우아한, 그야말로 '지나치게 예쁜 원예가'에게 가장 어울리는 꽃인지도 모른다.

"아직 품종 등록은 안 됐어. 이 꽃에 대해 아무도 모른다는 뜻이야."

"이 사진을 찍은 네 친구는 알겠지."

"걔도 이게 신종인지는 몰라. 사진을 SNS에 올리거나 다른 사람에게 보내지 않은 건 확인했고 몰래 걔 스마트폰에서 사진을 삭제했으니 앞으로도 괜찮아."

"이걸 만든 본인은? 오타 씨 때처럼 이번에도 그냥 포기할 거라고 확신할 순 없잖아. 그 사람이 애초에 이 꽃을 네 친구한테만 보여 준 게 확실해?"

그러자 리에는 코웃음을 쳤다.

"만든 사람은 거기 찍힌 마녀 같은 아줌마야."

아마미야라는 이름의 그녀는 혼자 살고 친척이나 이웃과도 왕래가 없다고 한다. 알고 지내는 사람이라고는 어릴 적부터 귀여워하던 조카, 즉 리에의 친구뿐이다. 동네에서는 괴짜로 통하고 혼잣말을 중얼거리면서 거리를 돌아다니는 것으로 모자라 이곳저곳에서 트러블을 일으킨다. 약간 비뚤어지기는 했어도 나쁜 분은 아니라며 착한 그 조카는 마음 아파한다고 한다.

"친구한테는 미안하지만 그런 여자가 무슨 말을 하든 아무도 귀 기울여 주지 않을걸."

"근데 넌 이 장미에 대해 아무것도 모르잖아. 어떻게 만들었는지도."

"등록에는 문제없어. 신종을 만들 때 어떤 품종과 어떤 품종을 교잡했는지, 즉 부모가 무엇인지 밝힐 필요가 없다는 뜻이야. 기업 비밀 같은 거거든. 부모는 무명의 꽃, 이름 없는 나만의 씨앗에서 태어난 거라고 해도 되고, 심지어 일부러 다른 꽃을 써서 신청하는 경우도 있어."

입을 열었지만 무슨 말을 해야 좋을지 알 수 없었다. 리에의 마음에 가닿을 만한 말이 떠오르지 않았고, 애초에 도둑인 내가 가타부타할 자격도 없다.

문득 리에의 눈빛이 온화해졌다. 성가신 환자를 대하던 인내심 강한 간호사처럼.

"오타 씨 때랑 똑같아. 이 이상한 아줌마가 이걸 세상에 공개하는 것보다 내가 공개하는 쪽이 장미에게도 행복해. 모처럼 세상에 태어났는데 가치를 인정 받지도 못하고 죽는 건 불쌍하잖아."

걸음걸이까지 달라진 리에가 창가에 가서 커튼을 여는 모습을 말없이 눈으로 좇았다. 창밖에는 세심하게 설계했을 장미 정원이 펼쳐져 있다. 한밤의 정적에 둘러싸여 맑고 투명한 달빛을 받으며 어둠을 메우는 것처럼 무리 지어 핀 수많은 장미. 리에가 창문을 열자 가을 밤바람에 실려 은은한 향기가 풍겨 왔다. 마치 장미들의 숨소리가 들리는 듯하다.

"그거 알아?"

리에는 창틀에 손을 대고 정원을 바라보며 입을 열었다.

"야생 장미는 원래 꽃잎이 다섯 장이었어. 그런데 무려 2백 년 전부터 인공적인 교잡이 이어져 오면서 지금은 꽃잎이 수백 장에 달하는 장미도 있어. 장미는 교잡하면 야생에 다가가려고 꽃잎 수를 줄이려 하는데, 인간은 자연을 거스르면서까지 자신들이 바라는 미를 창조해 왔어."

'기형'이라는 단어가 머릿속에 떠올랐다. 아름다운 기형.

"그중에서도 특히 인간의 마음에 든 것들만이 이름이 붙고 등록을 거쳐 살아남게 돼. 여기 있는 아이들은 엄청난 생존 경쟁에서 살아남은 아이들이라는 거야."

"네가 오래전 어머니 병실에 꽂아 준 그 장미도?"

연보라색의 수수한 장미. 황혼, 또는 새벽하늘을 연상케 하는 그 색을 지금도 기억한다.

"아버지가 교잡해서 만든 품종이었어. 하지만 돈이 안 되니 재배도 등록도 하지 않아서 이제는 세상에 존재하지 않아."

"예뻤는데."

"그런 걸 일일이 따지기 시작하면 이 일은 못 해. 품종 선별이라는 건 즉 생명의 선별이야. 밤에 혼자 비닐하우스 안에 있으면 살려 달라고 외치는 장미들의 호소가 귓가에 들리는 것 같아. 사방에서 나를 둘러싸고 살고 싶어요, 살고 싶어요, 라며 애원하는 소리가. 문득 무서워서 도망친 적도 있어."

나는 리에의 뒷모습 너머로 정원을 보고 있었다. 장미들이 일제히 리에를 쳐다보는 것 같아 등줄기에 소름이 돋았다.

이제 해 줄 수 있는 말은 하나밖에 없다.

"못 해."

그러자 리에가 눈을 부릅뜨고 돌아봤다.

"왜? 전에는 해 줬잖아."

"이렇게 될 줄은 몰랐어."

"이렇게?"

코웃음을 치는 듯하지만 얼굴은 웃고 있지 않다. 입가만 어색하게 올라간 굳은 표정으로 리에는 두 팔을 펼쳤다.

"이렇게? 그래. 쇼고 씨는 육종에 실패한 기분이 들 수도 있겠네. 그 씨앗에서 이렇게 추한 꽃이 피다니! 하지만 그 꽃을 키운 건 당신이야."

리에의 말이 고막과 가슴에 꽂혔다. 리에는 지금 마치 가시투성이 장미 같다. 그 가시 때문에 리에 자신도 상처 입는 것처럼 보인다. 정작 본인은 지금의 자신에게 만족한다고 하지만, 그렇다면 이렇게나 힘들어 보이는 건 왜일까.

4년 전에 내가 장미를 훔치지만 않았어도. 당시의 나를 찾아가 때려 주고 싶었다. 진심으로 리에를 위한다면 마음에도 없는 말을 던져 떨어뜨리거나 아니면 말없이 자취를 감춰야 했다. 이것은 내 자기만족의 결과다.

리에는 바닥을 보며 한숨을 내쉬었고 다시 고개를 들었을 때는 아름답고 쓸쓸해 보이는 미소를 짓고 있었다. 볼에 붙어 있던 머리카락이 원래 위치로 돌아갔다.

"쇼고 씨가 갖다준 장미에 내가 붙인 이름이 뭔지 알지?"

"……'한때'."

"응. 쇼고 씨와 함께한 한때, 난 정말 행복했어. 그날 이후 줄곧 이 말을 해 주고 싶었어. 사실대로 모든 걸 털어놓아 줬는데도 믿지 않아서 미안했다고. 그리고 쇼고 씨가 도둑이어도 난 상관없다고. 쇼고 씨. 지금도 늦지 않았어. 우리의 공백의 시간을 채우자."

어둠과 장미를 짊어진 여자의 입술은 빨갛고 매끄럽게 빛나고 있었다.

며칠 후 나는 한밤의 정원에 서서 화분에 심은 장미를 내려다보고 있었다. 정원이라고 해도 리에와 오타 씨의 집에서 본 번듯한 정원과 달리 좁은 땅에 벽돌로 둘러싼 화단이 있고 나머지 공간에는 플랜터와 화분을 채워 넣은, 어디까지나 취미용 원예의 산물이다.

장미 앞에 쪼그려 앉자 희미한 향기가 코끝에 닿았

다. 고개를 살짝 기울여 장미의 가는 목덜미에 손을 대고 가지를 살며시 쥐어 쓰다듬는다. 가시가 살갗을 찔렀는지 엄지가 따끔한 순간 리에가 한 말이 다시 떠올랐다. 꽃을 키운 건 당신이야.

나 때문에 괴로워하는데 어떻게 모른 척할 수 있을까. 리에를 돕겠다. 그 결과가 아무리 지금보다 더 괴로워진다고 해도.

스스로 되뇌며 전지가위를 든 손에 힘을 집어넣었다. 가지를 자르는 소리가 통증처럼 날카롭게 가슴에 울려 퍼졌다.

*

크리스마스에는 그다지 좋은 추억이 없다. 3년 사귄 남자 친구에게 차였고 넘어져서 부츠 힐이 부러진 적도 있으며 어린 환자가 던진 케이크에 맞기도 했다.

그중 가장 먼저 머릿속에 떠오르는 기억은 초등학생 때 크리스마스다. 몇 학년이었을까. 그때는 이미 산타클로스를 믿지 않았다. 친구들 사이에서 유행하는 게임기를 갖고 싶어서 몇 달 전부터 부모님에게 이야기했다. 그러나 크리스마스 날 아침 내 눈에 들어온 것은 새 고무장화였다. 휴일이라 아버지는 아침 식사를 마치자마자 "리에, 가자" 하고 나를 밭에 데려갔고, 어머니는 언짢은 것처럼 식탁 위를 치웠다.

하지만 올 크리스마스는 다르다. 나는 아침부터 집 뒤에 있는 비닐하우스에 있었다. 아버지의 비닐하우스였을 때보다 훨씬 설비를 충실히 갖춘, 프로 원예가 하마모토 리에의 비닐하우스다.

순조롭게 가지를 뻗는 모습을 보고 있으면 자연스럽게 미소가 떠오른다. 쇼고에게 받은 세 대의 가지.

씨앗 하나하나가 다른 품종이니 씨앗부터 키운 장미는 모두 다른 품종이 된다. 그래서 어느 한 품종의 개체 수를 늘리려면 그 장미의 싹이 달린 가지를 잘라 찔레꽃 뿌리에 접붙이거나 흙에 심어 뿌리 내리게 하는 방법을 쓴다. 그러면 가지가 성장해 원래 장미와 같은 꽃을 피운다. 몸 일부를 통해 전체를 재생하는, 한마디로 클론이다.

10월에 얻은 가지를 시들지 않게 소중히 보관해 뒀다가 접붙이기 가장 좋은 겨울을 기다렸다. 12월이 되어 마침내 처음 교잡했을 때는 과연 잘 될지를 걱정하며 안달복달했지만 지금은 모든 가지가 성공했다. 이대로 애지중지 기르다 보면 봄에는 첫 꽃을 만날 수 있을 것이다. 화려하면서도 우아한, 하마모토 리에에게 어울리는 장미를. 시끄럽게 재촉하는 관계자들에게도 조만간 좋은 소식을 들려줄 수 있을 거라고 언질해 두었다.

이 기쁨과 기대를 쇼고에게도 전하고 싶었다. 그러나 그는 내게 가지를 건넨 것을 끝으로 자취를 감춰 버렸다. 전화와 문자도 받지 않는다.

미래의 보험 삼아서라도 끊고 싶지 않은 관계였지만, 어쩔 수 없다. 이 장미가 인기를 끌면 당분간은 먹고살 수 있다. 그러면 그다음에야말로 내 손으로 모두가 펄쩍 뛸 만한 신품종을 만들어 내면 그만이다. 나는 성실한 데다 어렸을 때부터 줄곧 아버지의 원예를 도왔다. 내가 못할 리 없다.

하지만 만에 하나 일이 잘 풀리지 않았을 때는 그냥 원예가를 은퇴하면 된다. 방송과 잡지 덕에 내 '한때'는 이례적인 히트 품종이 되었고, 유령 작가에게 맡긴 관련 서적도 날개 돋친 듯 팔렸다. 이미 쌓아 둔 돈이 많을뿐더러 아버지처럼 장미에 인생을 바칠 생각도 없다.

어느새 미간에 힘이 들어간 것을 깨닫고 고개를 흔들

었다. 장미 이름을 떠올리자. 아직 갓난아기 같은 가지를 바라보며 노랑에서 빨강으로 그러데이션을 그리는 큰 장미를 떠올린다. 화려한 이름이 어울릴 것이다. 광휘, 영예, 샤인…….

그때 초인종 소리가 울려 문득 몽상에서 깨어났다. 나는 비닐하우스에 있을 때가 많아서 이곳에도 소리가 들리게 해 놨다. 정원으로 돌아가 문 쪽을 살피니 제복을 입은 경찰관이 두 명 서 있었다.

순간적으로 장미 덤불 뒤에 몸을 숨겼다. 가슴이 두근거리고 원예용 앞치마를 붙잡은 손이 떨리고 있다. 경찰이 왜. 떠오르는 건 하나밖에 없다. 쇼고가 훔쳐 온 장미 가지.

집에 없는 척을 해 보려고 했지만 경찰들은 문 앞을 떠나지 않고 밖에서 정원을 보며 잡담하고 있다. 그 모습을 잠시 관찰하다가 나는 심호흡을 한 번 하고 마음을 굳혔다. 긴박감이 없는 것을 보니 나를 의심해서 온 건 아닌 듯하다. 게다가 지금 피해 봐야 나중에 또 올 것이다.

문에 다가갈수록 경찰들의 목소리가 귓가에 들렸다.

"장미 하니 떠올랐는데, 아저씨들한테는 꽃이 큰 노란

장미가 인기래. 아, 그러고 보니 나도 그걸 좋아한다는 걸 깨닫고 얼마나 놀랐는지 원. 나이가 마흔셋이니 아저씨가 맞긴 하지만."

"장미에 대한 취향은 나이와 성별뿐만 아니라 지역성도 영향을 미친다고 하네요. 일본과 외국이 서로 다르고 국내에서도 지역에 따라 경향이 다르다고."

"정말? 그럼 다른 사람한테 장미를 선물할 때는 출신지를 물어보는 게 나으려나? 어디가 어떻게 다른데?"

역시 긴박감이라고는 없다. 마음을 조금 가라앉히고 문으로 이어지는 흰 오솔길에 모습을 드러냈다. 나를 본 경찰들이 대화를 멈추고 고개를 숙인다. 나이가 많고 머리카락이 긴 쪽은 고개를 살짝 까닥거리는 수준이고, 젊고 키가 큰 사람은 정중하게 인사했다.

방송과 잡지용의 웃는 얼굴로 인사에 화답하고 그들에게 다가갔다. 먼저 "안녕하세요" 하고 밝게 말했다.

"안녕하세요. 이거 죄송합니다. 일하는 중이셨을 텐데."

나이가 많은 쪽이 대답했다. 저자세에 싹싹한 태도를 보며 굳어 있던 근육이 조금씩 풀렸다.

"하마모토 리에 씨시죠? TV에서 뵌 기억이."

"아, 네. 감사합니다."

"가미쿠라역 앞 파출소에서 근무하는 가노라고 합니다. 이쪽은 쓰키오카."

젊은 남자는 말없이 한 발짝 뒤에 물러나 있다.

"확인하고 싶은 게 좀 있어서요."

가노의 말에 맞춰 쓰키오카가 앞으로 내민 것은 비닐봉지에 든 전지가위였다. 멋들어진 손잡이와 소가죽 케이스에 알파벳 이름이 새겨져 있다.

"이건, 제 가위……?"

특수 제작한 외국산 제품이다. 두 개 있을 리 없다.

경찰이 어떻게 내 가위를? 머릿속이 혼란스러워서 말문이 막혔다.

"분실물로 파출소에 들어왔습니다."

"분실물요?"

그럴 리 없다. 이 전지가위는 케이스를 포함해 수십만 엔이나 해서 카메라 앞에서만 썼다. 평소에는 같은 브랜드의 앞치마와 장갑, 장화와 세트로 집 안에 보관하고 있다.

가위가 사라진 것을 지금껏 깨닫지 못했다. 그건 곧 방송과 잡지에 출연할 기회가 없었다는 뜻이다. 그 생각이 든 순간 얼굴이 확 달아올랐다. 반짝 스타. 이제는 한물간 사람. 세상이 나를 두고 뭐라고 평가하는지는 알고 있다. 나를 방송에서 본 적이 있다고 한 가노도 속으로는 비웃고 있을지 모른다.

"잃어버린 경위 같은 건 기억하시나요?"

"아마 두 달쯤 전에 방송 녹화 때 쓰고 난 다음부터 보이지 않아서."

즉석에서 떠올린 거짓말이었다. 사라진 걸 모르고 있었다고 하고 싶지 않았다.

"그럼 녹화한 곳에서 떨어뜨렸거나 깜빡하고 오셨다?"

"저도 그렇게 생각해서 당시 스태프에게 찾아 달라고 부탁했는데 결국 못 찾았어요."

"그럼 누가 훔쳤을 수도 있겠군요."

"그럴 가능성도 있겠지만……."

그렇게 생각하고 싶지는 않다는 것처럼 이맛살을 찌푸리며 고개를 흔들었다.

"어디서 발견된 건가요?"

"아마미야 씨라는 분 댁에서."

"아마미야 씨?"

순간 목소리가 어긋났다. 내가 쇼고에게 장미를 훔쳐

달라고 부탁한 집이다.

가노가 고개를 살짝 갸웃했다.

"아세요?"

"아, 아뇨……."

"아마미야 씨도 취미로 장미 육종이라는 걸 한다던데요. 그래서 집 정원에 이 가위가 떨어져 있는 걸 보고 파출소에 갖다주셨습니다."

머릿속이 뱅글뱅글 돌며 가노의 목소리가 멀어졌다 가까워졌다가 했다.

아마미야의 집 정원에 내 가위가 떨어져 있었다. 그것은 곧 쇼고가 나를 배신했다는 뜻이다. 그가 내 전지가위를 훔쳐서 그 집에 들어가 가위를 두고 왔다. 그 외에는 떠오르지 않는다.

가노가 무언가를 물은 듯했다. "네?" 하고 눈을 깜빡인다.

"아마미야 씨 댁에 가신 적은?"

"……없어요."

"그런가요. 그쪽도 면식이 없다고는 하던데. 가위에 적힌 리에 씨 이름을 보고 왜 방송과 잡지에서만 본 원예가의 가위가 집 정원에 떨어져 있는지 의아했다고 하네요."

"실례지만 그 여자분이 뭔가 착각하시는 것 아닐까요?"

"아, 역시 아마미야 씨를 아시네요."

"네?"

"'그 여자'라고 하신 걸 보니."

식은땀이 났다. 가노는 분명 아마미야가 여자라고는 한마디도 하지 않았다.

"아마추어 원예가로서 이름만."

마른 입술에 침을 묻히고 과감하게 물었다.

"아마미야 씨가 혹시 다른 이야기는 안 했나요?"

"다른 이야기라고 하시면?"

"그러니까, 제 가위를 주울 때의 상황이라든지."

그날 그곳 정원에서는 신종 장미의 가지가 잘린 채 사라졌을 것이다. 아마미야는 혹시 그 이야기를 경찰에게 하지 않았을까. 만약 했다면 경찰은 가위와 그 일을 관련짓고 있지 않을까. 혹시 이 두 사람은 그래서 여길 찾아온 걸까.

경찰들을 넌지시 관찰한다. 가노는 여전히 실실 웃고 있고 쓰키오카의 진지해 보이는 표정에도 변화가 없다. 나를 장미 도둑으로 의심하는 것처럼 보이지는 않지만,

아무리 주의 깊게 살펴도 사람의 마음속까지 꿰뚫어 볼 수는 없다. '지나치게 예쁜 원예가'를 떠받드는 사람들이 속으로는 비웃고 있어도.

"혹시 뭐 짚이는 거라도?"

"아뇨, 전 아무것도…… 모르는 일이에요."

반대로 질문을 듣고 당황한 나머지 나도 모르게 목소리에 날이 섰다. 나를 이 지경에 빠뜨린 그 남자, 쇼고의 얼굴이 떠오른다.

왜 이런 짓을 저질렀냐고 멱살을 움켜쥐고 따져 묻고 싶었다. 나를 괴롭히려는 걸까. 오래전 장미를 훔쳐다 준 사람은 그인데 나 혼자만 유명해진 상황을 시샘해서. 아니면 변해 버린 나를 용서하지 못하고 미워하게 됐다? 말도 안 돼. 미워할 사람은 오히려 나다. 4년 전 그는 자기가 도둑인 것을 증명함과 동시에 자취를 감춰 버렸다. 당신이 도둑이어도 좋아한다는 말을 꺼내지도 못하게 했다.

이 모든 게 그 에사카 쇼고가 저지른 짓이라고 눈앞에 있는 경찰들에게 소리치고 싶었다. 하지만 그런 짓을 했다가는 나도 파멸이다.

"왠지 화가 많이 나신 것 같은데."

이 가노라는 경찰은 유명인의 사생활을 엿보고 싶어 하는 저속한 부류들과 닮았다. 실실거리며 선 자세 하나에서도 진지함이라고는 느껴지지 않는다. 어쩌면 그저 유명인과 말을 섞을 기회이니 대화를 이어 가고 싶은지도 모른다. 눈앞의 남자, 지금의 상황, 그리고 쇼고를 향한 분노가 뒤섞여 점점 부풀어 갔다.

"누가 내 물건을 훔쳐 가면 누구든 화나지 않겠어요?"

"하지만 가위가 사라진 건 두 달 전이고 그때는 누가 훔쳐 갔을 가능성을 떠올렸어도 경찰에 신고하지 않았죠? 그럼 이 가위를 굳이 찾지 않아도 별문제는 없었다는 말인데요. 그런데 막상 이게 발견되니 그렇게 화가 끓어오르는 건 좀."

"네……?"

무슨 뜻인지 이해할 수 없었다. 혹시 내가 말실수라도 저지른 걸까.

"가위가 사라진 것보다 발견된 것에 더 화를 내는 것처럼 보이는 건 제 착각일까요? 가위가 발견된 곳이 아마미야 씨 댁 정원인 것도 뭔가 짚이시는 게 있는 것 같네요. 물론 희한한 상황이니 의아할 수는 있어도 그렇게 당황하실 것까진."

그제야 얼굴이 땀범벅이 된 것을 눈치챘다. 12월이니 당연히 이상해 보이겠지만 가노와 쓰키오카가 나를 유심히 관찰하고 있다고 생각하니 땀 닦는 동작 하나에도 긴장하게 된다. 역시 이 경찰들은 나를 의심하고 있는 것이다.

부인해야 할 텐데, 변명 하나쯤은 입에 담을 수 있을 텐데 말이 나오지 않는다. 심장 소리가 귀 안쪽에서 울리며 '얼른 뭐라고 한마디라도 해, 얼른, 얼른' 하고 재촉한다. 벌린 입에서 흰 숨결이 끊임없이 새어 나온다.

들키면 파멸이다. 부와 명예 모두 잃고 '지나치게 예쁜 원예가'는 예전의 평범한 여자로 돌아갈 것이다. 아니, 신뢰를 잃은 만큼 예전보다 상황은 더 안 좋다. 언론은 손바닥 뒤집듯 신데렐라의 추락을 보도할 것이다. 집 리모델링과 응접실 인테리어에 든 대출금은 어떻게 갚아야 할까.

눈길이 정원을 가득 채운 장미 사이를 떠돈다. 이곳에 있는 것은 선택된 장미들이다. 날 때부터 아무도 거들떠보지 않고 세상에 탄생한 것조차 알리지 못하며 그 무엇도 되지 못한 채 죽어 가는 장미들과 다르다. 그렇다. 나는 다르다. 선택받지 못한 장미가 될 수는 없다.

"몰라요."

정신을 차리니 그런 말을 내뱉고 있었다.

"아마미야 씨 집에 들어간 도둑하고 전 아무 관계도 아니에요!"

새된 목소리가 고막에 꽂혔다. 그 뒤에 잠시 침묵이 깔렸고 나는 화들짝 놀라 경찰들을 봤다. 가노는 더는 웃고 있지 않다. 쓰키오카는 침착한 모습 그대로 내게 집중하는 게 느껴졌다.

"저희는 습득한 리에 씨 가위를 돌려드리러 왔을 뿐인데, 아마미야 씨 집에 들어간 도둑은 무슨 말이에요?"

가노가 고개를 기울이며 묻는 순간 해가 급격히 기운 느낌이 들었다. 이제 곧 본격적인 겨울이 시작된다. 한 해에 여러 번 피는 장미도 겨울에는 꽃을 피우지 않는다.

파출소에서 이야기를 조금 더 듣고 싶다고 해서 순순히 따라갔지만 나는 한마디도 하지 않았다. 싸구려 형광등 불빛을 반사하는 책상을 노려보며 나를 유명하게 해준 밀크티색 장미를 떠올리고 있었다. 장미에 붙여 준 이름대로 영광은 '한때'로 끝나고 마는 걸까. 그럴 리 없다. 봄이 되면 장미가 피듯 나도 다시 꽃을 피울 것이다.

마음을 단단히 먹고 냉정히 떠올린다. 가노와 쓰키오카는 내게 가위를 돌려주러 왔다고만 했다. 그 말은 곧 아마미야는 누군가가 장미 가지를 잘라서 훔쳐 갔다고 경찰에 신고하지 않았다는 뜻이다. 돌이켜보면 쇼고가 장미 가지를 들고 온 게 10월이니 벌써 두 달이 지났다. 가위가 발견되기까지 간격이 꽤 있으니 아마미야는 두 일을 연관 지어서 생각하지 못했을 수 있다.

아까는 당황한 탓에 떠올리지 못했지만 이 시기의 어긋남이 기묘했다. 쇼고의 짓이 틀림없다고 가정하면 그는 왜 가지를 훔칠 때 가위를 두고 오지 않았을까.

어쨌든 가노 앞에서는 더는 입을 열지 않는 게 좋다. 또다시 말실수라도 하면 일이 더 꼬인다. 눈만 약간 위로 치뜬 채 앞에서 턱을 괴고 있는 남자를 봤다. 턱 밑에서 깍지 낀 손가락이 간호사로 많은 이들을 만나 온 나도 놀랄 만큼 길다. 이 남자에게 휘둘리지 않으려면 침묵 속에 틀어박히는 게 제일이다.

안쪽 방에서 전화를 받고 있던 쓰키오카가 가노에게 눈짓하고 고개를 흔들었다. 이로써 나는 집에 돌아갈 수 있게 됐다. 가노는 머리를 긁적이며 내가 말한 '아마미야 집에 들어간 도둑' 이야기가 확인되지 않는다고 했다. 경찰이 아마미야의 집을 찾아가 조사했지만 침입자의 흔적은 없었다.

"물론 아마미야 씨에게도 확인했는데 장미 가지는 전부 멀쩡하다네요."

전부 멀쩡하다니! 나는 경악했다. 장미를 훔쳐 간 것을 눈치채지 못한 것까진 그렇다 쳐도 그 이야기를 다 듣고도 장미 가지가 전부 멀쩡하다고 했다는 건 무슨 뜻일까. 괴짜로 알려진 아마미야의 머릿속에서 사실이 뒤틀려 버린 걸까. 아니, 그게 아니라 정말로 장미에 손을 댄 사람이 없다면…….

저녁이 되어 집에 돌아와 곧장 비닐하우스로 향했다. 다리가 비틀거렸고 가시를 움켜쥔 것처럼 손톱이 손바닥을 파고들었다.

무의식중에 숨을 죽인 채 쇼고에게 받아서 교잡한 아마미야의 장미, 아니 아마미야의 장미였을 장미 앞으로 다가갔다. 매일매일 자라나는 가지. 아마미야의 장미를 훔치지 않았다면 이건 대체 뭐란 말인가. 찔레꽃 뿌리에 기생하며 자라는 이것은. 내가 지금껏 길러 온 이것은.

나는 싸늘한 한기에 휩싸인 채 두 팔로 몸을 감쌌다.

희망과 불안 사이를 오가며 그것을 계속 길렀다. 잎

모양과 가시 수가 뭔가 이상하다고 느끼면서도 눈을 꽉 감고 애원하듯 믿었다. 분명 노란색에서 빨간색으로 그러데이션이 들어간 큰 장미꽃이 필 것이다. 분명. 부디.

3월 초, 바람이 아직 차지만 밝은 빛이 내리쬐는 봄날에 꽃봉오리가 맺혔다. 나는 비명을 질렀다. 봉오리 색은 황혼, 또는 새벽하늘을 연상하게 하는 연하디연한 보라색이었다.

아버지. 헐떡이듯 여닫히는 입술에서 말이 되지 못한 소리가 새어 나왔다.

그것은 아버지가 만들어 낸 장미였다. 잘못 봤을 리 없다. 돈과 시간을 모두 쏟아붓고 가족까지 내팽개친 채 마침내 만들어 낸 신종. 그다지 인기가 없어서 나는 품종 등록을 이어 가지 않았고 재배도 포기했다. 그러니 이제는 이 세상에서 소멸했을 장미다. 그런데. 대체 왜.

—훔쳤구나.

문득 아버지의 목소리가 들려서 어깨를 움찔했다.

아버지가 평소처럼 지시 조로 말한 것은 내가 '한때'를 등록한 지 얼마 안 됐을 무렵이다. 비닐하우스에서 작업하는 동안 아버지는 나를 보지도 않고 오로지 당신 손에만 온 신경을 기울이고 있었다.

지금 당장 등록을 취소하고 재배도 그만두라는 아버지에게 분노가 치밀었다. 결과적으로 나쁜 짓을 저질렀다는 자각은 있었지만 가족보다 장미를 우선하며 내키는 대로 살아온 아버지에게는 그런 말을 듣고 싶지 않았다. 내가 다른 일을 하지 않고 자기 일을 돕기만을 아버지가 바란다고 생각했다. 당신 인생뿐 아니라 딸의 인생까지 자신이 기르는 장미에 바칠 작정이라고. 아마 의식하지는 않았을 테지만 그것은 실로 교묘한 수법이었다. 지시도 부탁도 아닌, 어릴 때부터 그런 생각을 자연스럽게 머릿속에 심어 넣고 딸이 의문을 품지 못하도록 조종해 왔다.

방송국 카메라가 처음 나를 향했을 때 나를 옭아매고 있던 사슬의 존재를 깨달았다. '지나치게 예쁜 원예가'를 위해 열린 세상은 드넓고 반짝이는 것처럼 보였다. 이제는 아버지의 말에 귀 기울이지 않는다. 반복되는 충고를 아버지가 세상을 뜰 때까지 무시했다.

그런 아버지의 목소리가, 지금 내 귓가에 들리고 있다.

"그만해!"

봉오리가 맺힌 장미를 손으로 쳐서 쓰러뜨렸다. 연보라색 봉오리가 흙투성이가 됐지만 마치 고개를 들어 나를 쳐다보듯 끝부분이 내 쪽을 향하고 있다.

"날 비난하는 거야?"

정신이 반쯤 나가서 팔을 휘둘러 접붙인 모든 장미를 마구 쓰러뜨렸다. 잎이 찢어지고 가지가 부러지고 풀 냄새가 손가락에 엉겨 붙는다.

—훔쳤구나.

"아빠도 내 자유를 훔쳤잖아! 난 이제야 내 인생을 손에 넣은 거라고!"

아버지의 장미를 붙잡고 온 힘을 실어 땅바닥에 내동댕이쳤다. 여러 번, 여러 번, 손에서 피가 나도 멈추지 않았다. 봉오리가 맺힌 가지는 목이 꺾였고 마침내 줄기까지 너덜너덜해졌다. 그래도 직성이 풀리지 않아서 주변에 있는 장미를 닥치는 대로 쥐어뜯었다. 장미가 아버지 편에 서서 나를 비난하는 것처럼 느껴졌다.

"난 그저, 꿈을 꾸고 싶었어……."

만드는 사람이 원하는 장미가 아니어도 삶을 허락받고 싶었다. 내 의지로 살아가며 꽃을 피우고, 예쁘다는 소리를 듣고 싶었다.

어느새 얼굴이 눈물범벅이 돼 있었다. 무릎부터 주저앉은 내 귀에 문자 착신음이 들렸다. 읽지 않아도 무슨 내용인지 알고 있다. 신종 장미 발표를 재촉하는 방송국이나 사무소에서 보낸 문자가 이미 스마트폰과 컴퓨터에 잔뜩 쌓여 있다.

몸을 웅크린 채 피와 흙, 진액이 잔뜩 묻은 두 손으로 귀를 막았다. 눈을 꼭 감고 어둠 속으로 도망친다. 황혼도 새벽도 보고 싶지 않았다.

지붕 위에 있는 닭 모양 풍향계가 봄바람을 맞으며 기분 좋게 햇볕을 쬐고 있다. 눈을 가늘게 뜨고 그 광경을 지켜보다가 작은 화단을 향해 허리를 숙였다. 툭 하는 맑은 소리를 울리며 꽃을 피운 지 얼마 안 된 장미를 자른다.

"쇼고" 하고 부르는 소리에 가게 안으로 돌아가자 조금 전까지 비어 있던 테이블에 남자 두 사람이 앉아 있었다. 어머니가 경영하는 찻집은 어울리지도 않게 '빨간 머리 앤'을 모티브로 한 귀여운 서양식 외관이고 메뉴도 홍차가 중심이라 남자 손님은 별로 없다.

그들을 보자마자 나는 반사적으로 경계했다. 두 사람

다 청바지를 입은 편한 차림새지만 알 사람은 안다. 이들은 오늘 비번인 경찰관이다. 한 명은 20대에 체격까지 좋아 그야말로 우수한 인재처럼 보이고, 다른 한 명은 언뜻 보기에 만만해 보이는 중년 남자지만 방심해선 안 될 기백을 감추고 있다. 이제는 도둑질에서 깨끗이 손을 뗐는데도 나도 모르게 몸이 굳어 그들을 관찰했다.

"뭘 그리 멍하니 있니. 자, 이거."

어머니가 쇼트케이크와 롤케이크를 카운터 위에 올렸다. 다른 손님이 없으니 경찰들이 주문한 음식일 것이다.

잘라 온 장미를 일단 카운터에 두고 손을 씻고 있을 때 카운터 안에 있는 소형 TV가 눈에 들어왔다. 요즘 유행하는 무늬의 앞치마가 잘 어울리는 중학생 남짓 소녀가 인터뷰를 하고 있다. '미소녀 원예가'로서 요새 자주 보이는 얼굴이다. 반대로 '지나치게 예쁜 원예가'는 어느 순간 자취를 감췄다. 어머니가 옆에서 "하여튼 누구 하나 오래가는 걸 못 봤다니까" 하고 잘 아는 것처럼 말했다.

케이크를 가져가자 중년 경찰이 조금 전 내가 카운터에 둔 장미를 눈으로 가리켰다.

"저런 장미가 다 있네요."

나는 고개를 돌려 아주 연한 보랏빛 장미를 바라봤다.

"전에 어머니가 입원하셨을 때 담당 간호사에게 받은 겁니다. 어머니가 마음에 들어 하셔서 개체 수를 늘려서 키우고 있지요."

리에는 그 사실을 모른다. 그녀의 아버지가 처음 만들어 냈고 그녀 자신이 없애 버린 장미와 똑같은 장미가 이곳 정원에 아직 살아 있다는 사실을.

리에에게 건넨 것은 이 장미의 가지였다. 그리고 몰래 리에를 지켜보며 접목하는 것까지 확인하고 미리 훔쳐 놓은 리에의 전지가위를 아마미야 씨 집 정원에 두고 왔다. 아마미야 씨 집에 몰래 들어간 것은 그때가 처음이고 그곳에서는 장미를 훔치지 않았다.

"예쁘네요. 장미 키우는 건 어렵다고 들었는데."

"글쎄요. 어떻게 키우느냐에 따라 다르지 않을까요. 저희는 설렁설렁 하는 편이라서요. 그런데 가지치기 하나만은 확실히 하고 있습니다. 딱하기는 해도 예쁜 꽃을 피우려면 가끔은 가지를 잘라 줘야 하니까요. 그 역시 키우는 사람의 책임 아닐까요."

주제넘게 리에가 옳은 길을 걷기를 바란 것은 아니

다. 내가 좋아했던 예전 리에로 되돌리려는 마음도 없었고 지금 상태가 리에에게 가장 행복하다면 그걸로 충분했다. 그러나 본인이 뭐라고 해도 리에는 행복해 보이지 않았다. 그것이 나 때문이라고 생각하자 그냥 내버려 둘 수 없었다.

돌이킬 수 없을 정도로 사람이 변해 버렸다면 단념했을지도 모른다. 그러나 리에는 품종 선별을 할 때 장미들이 살려 달라고 애원하는 기분이 들어 두렵다고 했다. 장미에 애정이 있으니 그렇게 느낀다고 생각했다. 리에의 선의를 믿고 싶었다.

"이 장미 이름은 뭡니까?"

젊은 경찰이 정중히 물어서 나는 접대용 미소를 지어 보였다.

"전에는 색 때문인지 '깨어난 꿈'이라고 불렀다고 하네요. 지금은 등록되지 않아 따로 이름이 없습니다."

"깨어난 꿈이라. 꿈에서 깨어난 건지, 깨어나서 꾸는 꿈인지."

중년 경찰이 케이크를 우물거리며 중얼거렸다.

"어? 지금 내가 한 말 좀 멋지지 않았어?"

"그러네요."

정말로 그렇게 느꼈는지 아니면 적당히 맞춰 주는 건지 다즐링티를 마시는 젊은 경찰의 표정에서는 읽을 수 없다. 두 사람 다 왠지 종잡을 수 없는 타입 같아 또다시 쓸데없는 경계심이 고개를 들었다. 상대가 나를 지켜보고 있다고 느끼는 것도 일종의 직업병일 것이다.

"가노 선배님" 하고 젊은 경찰이 중년 경찰을 불렀다. 이름이 왠지 귀에 익어서 그의 얼굴을 넌지시 다시 한번 본다. 떠오르는 기억은 없지만 웬일인지 기분이 조금 꺼림칙했다.

원인을 찾기도 전에 경찰들은 티타임을 마치고 가게를 나가 버렸다.

뒤이어 새로운 손님이 들어왔다. 경쾌한 벨소리에 고개를 돌린 순간 그 자리에서 몸이 굳어 버렸다.

문 앞에 서서 수줍게 미소 짓는 사람은 하마모토 리에였다. 산뜻한 블라우스와 베이지색 바지를 입었고 옅은 화장에 컬이 약간 들어간 긴 머리카락이 어깨에 맞닿아 있다. '지나치게 예쁜 원예가'의 느낌은 옅어졌지만 4년 전 모습과도 다르다.

"도둑이 아무것도 안 훔치는 게 어딨어."

"널 다시 만나고 손을 씻었어. 지금은 보다시피 어머

니 찻집에서 일을 돕고 있고. 별로 볼품은 없지만."

"아니, 그렇지 않아."

약간 큰 편인 입가에서 하얀 이가 보인다. 나잇값도 못하고 가슴이 두근거리는 나 자신에게 당황한다.

"시립 병원에 간호사로 다시 돌아가게 됐어. 복귀 기념으로 맛있는 홍차를 끓여 줄래?"

"물론이지."

아마도 약간 어색하게 리에를 해가 가장 잘 드는 자리로 안내했다. 장미는 지금도 계속 키우고 있는지 물어야 할지 망설인다.

물을 가지러 가다가 퍼뜩 떠올렸다. 조금 전 그 가노라는 중년 경찰. 그의 이름을 들은 건 구치소에 있을 때였다.

'자백 전문 가노'라고 불리는 형사가 있었다. 그가 한 번 물면 누구도 도망칠 수 없다. 그러나 어느 날 도가 지나친 취조 때문에 피의자가 스스로 목숨을 끊었고 그 일로 가노는 형사를 그만뒀다고 했다.

가게 입구를 돌아봤지만 경찰들은 이미 사라졌고 부드러운 햇살만이 아무도 없는 공간을 따스하게 비추고 있었다.

가노 라이타.

굳이 기억을 더듬지 않아도 그의 전체 이름이 떠올랐다.

사람을 죽인 전직 형사의 이름.

"……설마."

나는 고개를 흔들며 카운터를 향해 다시 발걸음을 뗐다.

* 낯선 친구 *

담배 연기가 부옇게 들어찬 가게 안에 왁자지껄한 웃음소리가 터졌다. 멍하니 있던 나는 이유도 모르고 서둘러 웃는 얼굴을 만들었다.

"야, 미호 너, 듣지도 않았으면서 웃는 척이나 하고. 그러니까 말이야, 지금……."

옆에 앉은 나쓰키가 잽싸게 눈치채고 활기찬 목소리로 설명을 시작한다. 나는 어색하게 손에 든 잔으로 시선을 떨궜다. 꼭 그렇게 지적해야 해? 애써 미소 짓는 얼굴에서 경련이 일어날 것 같다.

식음료사의 로고가 그려진 잔은 여기저기 흠집이 나 있다. 벽에 달린 환풍기에는 기름때가 덕지덕지 묻었고

에어컨은 요란한 소리를 울리며 열심히 돌아가고는 있는데 찬 바람이 나오지 않는다. 술집 '지도리'는 무려 40년 넘게 가미쿠라 미술 대학, 통칭 '가미대' 후문 앞에서 영업을 이어 오고 있다. 가미대생들의 아지트 같은 곳이다. 술자리를 꼭 여기서 하기 때문에 오늘처럼 여러 술자리가 겹쳐서 합동 연회가 되는 경우도 드물지 않다. 수다스럽고 오지랖 넓은 아주머니가 운영하는 이 술집에서는 언제든 어깨에 힘을 빼고 편하게 분위기를 즐길 수 있었다.

적어도 3학년이 되어 나쓰키의 눈에 띄기 전까지는.

"미호, 왜 그래? 기운이 없네."

비스듬하게 앞에서 밝은 목소리가 들려 와 나는 깜짝 놀라 고개를 들었다. 조각과에 다니는 나시모토다. 체구가 작고 동안이라 '귀엽다'라는 형용사가 딱 들어맞는다. 술자리에서 처음 마주했을 때는 후배인 줄 알았지만 같은 3학년이었다. 나쓰키와는 미대 입시 학원에서 3년을 함께 보냈다고 한다.

그 인연으로 말문을 트게 되어 지금은 이렇게 서로의 이름도 기억하고 있지만 만약 그런 일이 없었다면 만나지도 못했을 것이다. 나는 판화과이고 무엇보다 성격이 서로 너무 다르다. 사람들 속에 섞여서 큰 소리로 웃고 있는 그와 구석에 조용히 앉아 있는 나. 똑같은 작업용 점프 슈트를 입고 있어도 나시모토 쪽이 훨씬 멋스럽고 세련돼 보인다.

반팔 소매 아래로 뻗은, 선이 고운 팔을 머릿속에서 그렸다. 저 팔로 그런 조각을 만들어 내다니. 올봄 조각과 학내 전시회에 출품한 나시모토의 작품을 보고 나는 첫눈에 반했다. 흔한 흉상이었지만 다른 조각상에서는 느낄 수 없는 산뜻함이 있었다. 숨김없이 활짝 웃는 그의 미소와 통하는 게 있었다.

“아니, 괜찮아. 그냥 좀 취해서. 신경 써 줘서 고마워.”

나는 잔을 살짝 들어 올리며 화장기 없는 수수한 얼굴로 최대한 밝은 미소를 지어 보였다. 그 흉상을 만든 사람은 어떤 여자를 좋아할지를 살피며. 학교에서 가끔 마주치는 예전 남자 친구는 머리카락을 땡땡이 무늬로 염색하는 사람이었는데 나는 도무지 따라 할 수 없고 따라 하고 싶지도 않았다. 꼭 어울리지 않아서가 아니라 예술 세계에 몸담고 있는 사람으로서 내 감각에 충실하고 싶었다.

하지만 지금 나는 내가 원하는 모습이 아닌 다른 모습

을 나시모토에게 보이고 있다. 얼굴을 전부 드러낸 포니테일 머리와 작업복 가슴가에 달린 자수정 목걸이. 전부 나쓰키의 조언을 따른 것이다.

오래전부터 둥근 얼굴이 콤플렉스라 옆머리를 최대한 길러서 윤곽을 숨겼다. 나쓰키는 그걸 알면서도 이 헤어스타일을 추천했다. 거슬리는 부분은 오히려 과감히 드러내는 게 낫다며 "이것 봐, 예쁘잖아"라고 했다.

목걸이는 나쓰키가 부모님에게 선물 받은 것으로 자수정은 나쓰키의 탄생석이다. 그걸 내 가슴에 갖다 대고 나쓰키는 눈빛을 반짝였다. 와, 잘 어울린다. 내가 차는 것보다 예뻐. 이거, 너 줄게. 신경 안 써도 돼. 그렇게 비싼 것도 아니고, 네가 차는 게 목걸이한테도 더 좋을 것 같아.

나와 나쓰키는 전공이 다르지만 동갑에 마른 체형까지 닮아서 자매 같다는 말을 종종 들을 때가 있다. 그러나 우리 둘의 가정환경, 그중 특히 경제적인 면은 차이가 크다.

내가 미대에 가고 싶다는 말을 처음 꺼냈을 때 자영업을 하는 부모님은 반대했다. 미대는 일반 대학보다 학비가 비싼데도 취직이 어렵고 거기서 배운 기술을 다른 곳에 써먹기도 힘들기 때문이다. 장학금을 받고 생활비는 아르바이트를 해 스스로 벌어 쓰는 조건으로 간신히 설득했다. 학원은 고2 때부터 다니기 시작했는데 학원비 역시 취직하고 나서 갚기로 약속했다.

반면 아버지가 현縣 의회 의원인 나쓰키는 미대 진학을 위해 집안에서 아낌없는 지원을 받았다. 가나가와에서 가장 유명한 입시 학원을 고1 봄부터 다니기 시작했고 학원을 마치고 집에 돌아갈 때는 어머니가 늘 차로 데리러 왔으며 따로 학원비를 갚을 필요도 없었다. 지금도 나처럼 원하는 미술 도구들을 사기 위해 악착같이 아르바이트를 하지 않아도 된다. 미호는 정말 부지런한 것 같아. 대단해. 만난 지 얼마 안 됐을 때는 나쓰키에게 그런 말을 자주 들었다.

나는 우리의 차이가 외모에서도 잘 드러난다고 생각하고 있다. 부잣집 아가씨처럼 조신한 분위기, 천진난만한 활기가 봄빛처럼 부드럽게 나쓰키를 감싸고 있다. 만약 내가 나쓰키와 똑같이 성형 수술을 한다고 해도 차이는 한눈에 드러날 것이다.

결국 나시모토와는 거의 말을 섞지 못하고 술자리가 끝났다. 나와 나쓰키는 가게를 나와 둘이 함께 사는 아파트를 향해 걸었다. 올봄에 나쓰키가 구한 집인데 혼자 살기는 무서우니 나더러 함께 살자고 했다. 내가 원해서 함께 사는 거니 월세는 안 줘도 돼. 우리 부모님도 네가 옆에 있어서 안심이라며 기뻐하셔. 내가 집안일을 별로 해 본 적이 없어서 같이 살기 조금 불편할 수는 있겠지만.

다른 사람들과 헤어지고 둘이 잠시 걷고 있을 때 나쓰키가 "저기, 미호" 하고 조심스레 입을 열었다.

"너, 혹시 나시모토 좋아해?"

즉시 대답하지 못한 건 나쓰키가 얼굴을 찌푸리고 있었기 때문이다. 전부터 대략 눈치채고는 있었지만 나쓰키는 나시모토를 별로 좋아하지 않는 듯하다. 나는 순간 경계심이 발동해서 등줄기가 뻣뻣해졌다.

"그건 왜?"

"그냥. 왠지 그런 것 같아서."

"아니. 잘못 봤어."

"그럼 상관없지만…… 혹시 좋아하는 게 맞으면 포기하는 게 좋을 것 같아. 걘 너한테 안 어울려. 키도 네가 더 크지 않아?"

나쓰키는 우울한 것처럼 한숨을 내쉬고 느닷없이 미

소 지었다.

"참, 하세쿠라는 어때? 아까 너도 몇 마디 나눴지?"

"그냥 술만 한 잔 받았어."

하세쿠라 교는 가미대생은 아니지만 가미대 교수인 아버지 덕분에 학교에 친구가 많아서 가끔 전시 등을 할 때나 술자리에 참석한다. 안경을 썼고 지적인 느낌이라 나시모토와는 전혀 다르다.

나는 땀을 닦는 척하며 잘 지어지지 않는 미소를 애써 숨겼다.

고작 5분 만에 아파트에 도착했다. 전자동 자물쇠가 달린 입구를 지나 엘리베이터를 타고 13층에 오른다. 아직 새집 느낌이 물씬 나는 널찍한 투룸에 들어가자마자 나쓰키는 "에어컨, 에어컨" 하며 리모컨을 찾아 팔을 휘저었다. 내가 먼저 리모컨을 집어 들고 스위치를 누른다. 쾌적한 냉기가 빠르게 집 안을 채웠지만 내 몸은 여전히 축축하고 무거운 느낌이었다.

"오늘은 샤워만 해도 되겠지? 샤워하고 둘이서 한잔 더 할래?"

나는 따뜻한 욕조 물에 몸을 담그고 싶었다. 술은 이제 됐다.

"전에 네가 만들어 준 그 안주, 또 먹고 싶다. 카망베르 치즈가 올라간 그거. 우리 미호는 요리도 정말 잘하고 참 대단하다니까."

요리라니, 귀찮다.

"아, 몬스테라 흙이 또 말랐네. 에이, 난 정말 왜 이럴까? 식물에 물 하나 제대로 못 주고. 이러면서 고무나무도 들이고 싶다고 하면 말도 안 된다고 화낼 거야?"

응, 말도 안 돼. 이 어리광쟁이 아가씨야.

마음속 목소리를 모두 집어삼키며 억지로 입가를 올려 웃었다. 조언이든 부탁이든 제안이든 나쓰키의 말을 거스를 수는 없다.

요코하마 뒷골목에서 나쓰키를 맞닥뜨린 그날부터.

나는 그때 아르바이트를 하는 핑크살롱*에서 나오는 길이었다. 생활비와 미술 도구를 사려면 돈이 부족했고 곧 있을 졸업 작품 재료비도 필요했다. 그렇다고 과제와 작품 제작에 들이는 시간은 줄이고 싶지 않아서 결국 효율성을 고려해 그쪽 일을 선택한 것이다. 나시모

* 유사 성행위를 하는 윤락 업소.

토가 만든 산뜻한 흉상에 그토록 끌린 것도 내가 그런 일을 해서였을지 모른다. 나쓰키는 어디서 식사라도 하고 돌아가다가 길을 잘못 들었는지 나들이옷을 입고 아버지에게 선물 받았다는 명품 가방을 손에 들고 있었다.

나보다 나쓰키가 더 당황했다. 적어도 겉으로는. 어디로 가야 할지 모르는 것처럼 제자리에서 발을 동동 구르며 침착하지 못하게 시선을 이리저리 돌리다가 입을 열어 무슨 말을 하려고 했다. 그러나 의미 있는 말이 좀처럼 나오지 않았고 간신히 쥐어짠 것처럼 입에 담은 말은 이 한마디였다.

—아무한테도 말 안 할게.

나쓰키가 도망치듯 그 자리를 떠날 때까지 나는 우두커니 서 있었다. 아르바이트를 들켰다는 충격 때문에 머릿속이 새하얬다.

3학년이 되기 전 봄방학에 일어난 일이다. 그로부터 얼마 지나지 않아 나쓰키는 지금 사는 집을 구해서 나더러 함께 살자고 했다. 나는 고맙다고 할 수밖에 없었다.

나중에 다시 돌이켜보니 그 골목에서 사라질 때 나쓰키가 왠지 웃고 있었던 것 같다. 그 아이 스스로 자각하지는 못했을 수 있다. 찰나의 순간이었고 그조차 근처에 있는 술집 조명 때문에 어렴풋이 보였다. 그러나 나쓰키는 분명 웃고 있었다.

아무한테도 말 안 할게. 그 한마디로 나쓰키는 나를 지배하고 있다.

나쓰키가 산 잔으로 나쓰키가 산 와인을 한 잔씩 마셨을 때 나쓰키는 시계를 보더니 푹신한 소파에 엉덩이를 깊숙이 파묻었다.

"아, 시간이 벌써 이렇게 됐네. 내일 1교시 수업이 있는데 일어날 자신이 없어."

"내가 깨워 줄게."

나쓰키의 마음을 읽고 원하는 대답을 준비하는 자신에게 혐오감이 치밀었다. 치즈가 달라붙은 접시를 싱크대에 가져가 힘 있게 박박 닦기 시작했다.

보아하니 오늘 밤도 수면제에 의지해야 할 것 같다. 몸은 피곤하지만 신경이 곤두서서 잠들지 못하는 날이 이어지고 있다. 평소 불면증을 앓는 친구에게 원인을 숨기고 상담하자 친구가 자기가 먹는 수면제를 몰래 정기적으로 나눠 주고 있다.

"미안해. 매일 너한테 의지만 해서. 하지만 솔직히 말하면 스마트폰 알람 소리에 깨는 것보다 네 목소리를 듣고 깨는 게 더 좋아."

나쓰키는 "그럼 잘 자" 하고 안심하는 목소리로 말했다. 이로써 내일부터는 매일 아침 내가 자기를 깨워 줄 거라고 확신하고 있다.

"잘 자" 하고 대답하는 내 목소리는 싹싹하고 활기차다. 그러나 아래로 숙인 얼굴은 가면처럼 딱딱하게 굳어 있었다.

나는 노예가 되어 여름과 가을, 겨울을 견뎠다. 그리고 노예 상태 그대로 4학년이 되어 졸업 작품 제작 시즌을 맞았다. 전시는 내년 1월에 열리는데 여름방학 전부터 슬슬 준비해야 한다.

나른한 더위에 휩싸인 학교 식당 창가에서 나쓰키와 또 한 명의 사이좋은 친구 가즈사까지 오랜만에 셋이 함께 점심을 먹었다. 전공은 세 명 모두 다르지만 1학년 신입생 환영회 때 친해진 후 자주 함께 다닌다.

"아, 졸업 작품 주제, 뭘로 하지."

내가 만든 샌드위치를 입가에 가져가며 나쓰키가 힘없이 어깨를 떨궜다. 요새 나쓰키는 매일 똑같은 말만

하고 있다.

"뭔가 표현하고 싶은 건 있는데 확실히 정하질 못하겠어. 미호는 이미 오래전에 다 정했는데."

"아직 못 정한 사람도 많아. 무조건 일찍 정한다고 좋은 것도 아니고."

이렇게 위로하는 게 벌써 몇 번째일까. 전에는 말로만 맞춰 줬는데 지금은 표정도 능수능란하게 바꿀 수 있다.

졸업 전까지 이런 상황을 계속 견뎌야 한다. 그리고 졸업하면 우리는 서로 다른 회사에 들어갈 것이다. 그때야 비로소 나는 나쓰키에게서 해방된다.

대기업 문구 제조사의 디자인부에 합격했다는 연락을 처음 받았을 때 너무 기쁜 나머지 전화기를 세게 쥐어서 하마터면 전화기를 고장 낼 뻔했다. 나는 순수하게 미술로 먹고살 능력은 없다. 분하지만 가미대에 들어오고 나서 통감했다. 그래도 미술과 관련된 일을 하고 싶어서 전공이 아닌 산업 디자인을 열심히 공부했고 취직에 도움이 되는 콩쿠르와 전시회에도 적극 참가했다. 그 노력을 인정받은 것이다. 나쓰키가 아버지 지인의 디자인 사무소에 들어간다는 소식을 듣고 기쁨은 배가 되었다. 나쓰키는 어차피 연줄을 통해 입사했고, 내가 들어갈 회사가 평판도 더 좋다.

"가즈사, 넌 정했어?"

나쓰키가 묻자 가즈사는 카레라이스 접시에서 고개를 들더니 외까풀에 반쯤 덮인 눈을 깜빡였다.

"뭘?"

"또 다른 데 정신 팔려 있었나 보네. 졸업 작품 주제 말이야."

가즈사는 멍한 얼굴로 "주제……" 하고 되뇌더니 천천히 고개를 갸웃했다. 하나로 대충 묶은 머리가 아래로 떨어져 카레에 닿을 것 같다. 물론 카레가 묻어도 가즈사는 별로 신경 쓰지 않을 것이다. 물감이 잔뜩 묻은 작업복은 언제 세탁했는지조차 알 수 없다.

"아직 못 정한 것 같아. 근데 실은 전부터 정해 놨어."

수수께끼 같은 말이다. 칠칠치 못한 미소까지 더해 학교 안에서 가즈사의 평판은 '이상한 아이' 또는 '멸종위기종'이다.

창백할 정도로 하얀 피부와 뼈 모양이 상상될 만큼 빼빼 마른 몸이 꼭 산 사람 같지 않다. 자세히 보면 체구가 작은데 팔만 이상하게 긴 것을 알 수 있다. 창작자의 실수, 또는 고의로 균형을 무너뜨린 조각상 같다. 그런 특징도 그야말로 희귀한 멸종 위기종답다.

나쓰키가 가즈사의 말을 해석하기 시작했다.

"그러니까 네 머릿속에서는 이미 정했는데 지도 교수님이 안 된다고 한 거야? 하세쿠라 교수님 맞지?"

유화과 담당 교수 하세쿠라 미키오. 언젠가 나쓰키가 내게 친하게 지내보라고 했던 하세쿠라 교의 아버지. 나와는 별로 접점이 없지만 하세쿠라 교수는 유화 외에 조각도 하는데 둘 다 업계에서 평판이 좋다고 들었다. 가즈사는 "교수님이 만든 작품, 그리고 교수님도 정말 좋아해"라고 입학 당시부터 떠들고 다니고 있다.

하세쿠라 교수의 이름이 나온 순간 가즈사의 표정이 빛나기 시작했다.

"오늘 교수님, 꼭 풋콩 같아."

패션에 대한 이야기다. 모자부터 신발까지 녹색으로 통일했다는 뜻이다. 멸종 위기종인 가즈사가 좋아하는 만큼 교수도 상당한 괴짜로 보인다.

"그래서 오늘은 적자색이구나."

나는 가즈사의 머리끈을 가리켰다. 적자색은 녹색의 보색이다. 가즈사는 색상환표에 나오는 12색의 머리끈을 늘 갖고 다니며 하세쿠라 교수의 복장에 맞춰서 바꾼다. 커플룩 같은 느낌을 내려는 걸까. 가즈사가 무슨 생각을 하는지 도통 알 수 없다.

가즈사는 내가 처음 만난 동갑내기 천재였다. 화려한 수상 이력을 굳이 언급하지 않아도 작품만 보면 바로 알 수 있다. 나, 아니 우리 모두와 재능 자체가 다르다. 한 장의 유화, 그 속에 있는 특별한 세계가 나를 압도했다. 가즈사를 알게 된 후 나는 순수 미술로 먹고사는 길을 포기했다.

아이스커피를 벌컥벌컥 마셨다. 가슴을 타고 내려가는 냉기가 그 안에 있는 뭔가를 마비시켜 준다. 약간의 통증, 그리고 그와 닮은 몇 가지 감정도.

"가즈사의 졸업 작품은 분명 대단할 거야. 최우수상은 이미 따 놓은 당상이라고 모두 벌써부터 말하고 있어."

나쓰키의 이런 태도는 늘 나를 화나게 한다. 진심으로 대단하다고 생각해요, 질투 따위 느낄 수도 없어요, 라는 태도. 웃는 얼굴이 천진난만할수록 더 사악해 보인다.

가즈사는 별반 신경 쓰지 않았다. 상 같은 것에는 관심이 없을 것이다.

"그보다 지금은 앞으로 태어날 아이가 기대돼."

"태어날 아이?"

"나와 교수님의 사랑의 결실."

나는 무심코 나쓰키와 얼굴을 마주 봤다. 설마 말 그대로의 의미는 아닐 것이다. 가즈사는 하세쿠라 교수를 동경하지만 예술가와 스승이 아닌 남자로서도 그런지는 알 수 없다. 아니, 가즈사가 과연 연애 같은 평범한 감정을 느낄까. 게다가 교수의 의사도 중요하다. 가정이 있는 남자니 뭐니를 떠나 가즈사의 기이한 보색 머리끈이 교수에게 전혀 통하지 않는다는 것은 이미 학교 안에서 유명한 우스갯소리다.

"아, 교수님."

가즈사가 갑자기 손을 번쩍 들더니 세차게 흔들었다. 그녀의 눈길을 좇자 머리부터 발끝까지 녹색으로 치장한 하세쿠라 교수가 식당에서 막 나오는 길이었다. 큰 키와 호리호리한 몸매 탓에 정말로 풋콩처럼 보인다.

"오, 가즈사."

자상한 목소리다. 그리고 목소리와 딱 맞아떨어지는 미소를 지으며 교수는 우리가 있는 테이블로 다가왔다. 나이는 쉰 살 정도 될까. 우리 아버지와 비교해 얼굴에 주름은 적지만 흰머리가 많다. 군살이 없어 전체적으로 댄디한 느낌을 줬다.

"창가 자리는 덥지 않니?"

"이렇게 나무 그늘이 있으니 괜찮아요."

"아, 그러네. 테이블에 생긴 그늘 모양이 아주 멋지구나."

"그렇죠? 역시 교수님은 알아주실 것 같았어요."

나는 옆에서 두 사람의 대화를 안절부절못하며 듣고 있었다. 설마 그런 일은 없겠지만 시선이 자연스레 가즈사의 배 쪽으로 향하고 만다.

"넌 와타나베 미호지?"

이름을 불려서 깜짝 놀라 하세쿠라 교수를 올려다봤다. 안경 안쪽으로 보이는 맑고 투명한 눈을 보며 '아, 이 사람도 분명 천재구나' 하고 근거도 없이 떠올렸다.

"어제 네가 그린 판화를 봤어. 따스함이 느껴지는 좋은 작품이더구나."

"아…… 고맙습니다."

얼굴이 달아오르고 목소리가 들떴다. 칭찬받았다. 그것도 가즈사가 존경하는 사람에게. 하마터면 몸을 부르르 떨 뻔했다. "좋겠네" 하고 장난 섞어 말하는 나쓰키의 목소리도 왠지 아득하게 들린다.
“난 이만 교수님과 가 볼게.”
가즈사가 자리에서 일어섰다. 나쓰키가 식기를 치워 주겠다고 한 것 같다. 멀어지는 두 사람의 뒷모습을 나는 마치 꿈결처럼 바라봤다.
“좋겠네.”
나쓰키가 다시 한번 말했다. 그 목소리가 나를 현실로 돌아오게 했다. 천진난만하면서도 사악한 미소. ‘칭찬 조금 들었다고 꼭 저 사람들처럼 천재라도 된 것 같나 보네’ 하고 눈빛으로 말하고 있다.
수치심과 분노로 몸이 화끈 달아올랐다. 내가 아무 말도 못할 것을 아는 나쓰키는 샌드위치를 집어 들더니 입에 가져가지 않고 고개를 들어 하늘을 바라봤다.
“새삼 드는 생각인데 가즈사는 우리랑 역시 다른 것 같아. 천재란 뭘까. 쟤 눈에는 세상이 대체 어떻게 보일까.”
나쓰키 역시 가즈사가 임신했다고는 믿지 않는 듯하다. 가즈사의 행동을 냉정히 돌이켜보면 그럴 가능성은 없다는 걸 알 수 있다.
“망상이라고 하면 좀 듣기는 안 좋지만 아무래도 평범한 사람 눈에는 보이지 않는 게 보이는 것 같지? 그 대신 평범한 사람은 보는 걸 못 보기도 하나 봐. 예를 들어 현실 같은 것. 걔 말인데, 앞으로 언젠가 취직이 뭐냐고 우리한테 물을 것 같지 않아?"

나쓰키는 피식 웃었지만 나는 웃지 않았다.

"가끔 이런 생각도 들어. 가즈사에게 진정한 친구는 없지 않을까 하는. 애인과 가족, 더 나아가 그 누구도 걔랑은 진정한 친구가 될 수 없을 거야. 외롭겠지만 솔직히 부럽기도 해. 자신만의 세상에서 홀로 살아갈 수 있는 그 재능이."

나쓰키는 한숨을 푹 내쉬고 문득 떠오른 것처럼 샌드위치를 한입 베어 먹었다.

"그렇게 생각 안 해?"

너랑 같은 사람 취급 하지 마. 반사적으로 그렇게 외치고 싶어서 서둘러 빨대를 입에 물었다. 빨대를 깨물자 입안에서 파직 하는 소리가 났다.

그 뒤로 석 달 넘게 지나도 역시 가즈사의 배는 부르지 않았다. 가즈사는 평소에도 엉뚱한 말을 자주 해서 나와 나쓰키도 그날 들은 말의 의미를 묻지 않고 얼마 안 돼 잊어버렸다.

졸업 작품 시즌이 본격적으로 시작된 탓도 있다. 허송세월만 보내며 주제를 못 정한 나쓰키도 11월이 되자 부랴부랴 주제를 정했다. 물속의 거품을 표현해 보고 싶다고 했다.

그 말을 들었을 때 나는 웃는 표정을 짓느라 애를 먹었다. 내 판화의 주제가 바로 '물밑에서 본 풍경'이었다. 물론 물은 어느 누구의 것도 아니고 작품 주제로 흔히 쓰인다. 게다가 디자인과인 나쓰키는 거품을 표현한 의상을 입고 퍼포먼스를 선보일 계획이라고 했으니 나와 표현 방법도 전혀 다르다. 그러나 내 것을 빼앗겼다는 느낌은 쉽사리 가시지 않았다.

그걸로 모자라 얼마 뒤 나쓰키는 작품 제작을 도와 달라고 했다. 두 손으로 스케줄 노트를 꼭 쥐고 우는소리를 하면서.

"나 같은 바보 멍청이가 지금부터 시작해서 마감을 맞출 리 없잖아. 디자인과 친구들에게 부탁해 봤는데 다들 자기 것 하느라 바쁘대. 결국 부탁할 사람이 너밖에 없어. 이런 부탁 하면 안 된다는 거 알지만, 한 번만 봐줘. 정말 너뿐이야."

나도 그때만큼은 바로 응, 이라고 하지 못했다. 졸업

작품은 대학 생활 4년의 집대성이자 지금까지 내가 살아온 인생에 대한 일종의 표현인 동시에 현시점의 최고 걸작이어야 한다. 나는 9월부터 이미 작업에 들어갔지만 시간 여유가 많지 않았다.

"그건……."

"미안. 취소할게."

나쓰키가 스케줄 노트를 아래로 휙 내렸다.

"그래. 힘들겠지. 나도 알아. 취소, 취소. 잊어 줘."

나는 하려던 뒷말을 집어삼켰다. 쓰디쓴 맛이 느껴졌다. 나쓰키의 평소 방식이다. 웃음 속에 늘 칼이 있다. 눈가를 꾹 누르는 동작과 코를 훌쩍이는 소리로 말없이 압력을 가한다. 그 아르바이트 일을 다른 사람에게 말하지 않을 테니, 그 대신.

"도와줄게" 하고 나는 대답했다. 쥐어짜듯 그렇게 답할 수밖에 없었다.

그날 이후 낮에는 학교에서 내 졸업 작품을 만들고 밤에는 집에서 나쓰키를 도왔다. 집안일은 여전히 내 몫이다.

나쓰키가 걸핏하면 입에 담는 "미안해"라는 말이 거슬렸다. 그런 말을 몇 번 지껄인다고 해서 나쓰키가 잃는 건 아무것도 없다. 나쓰키는 내게 "아르바이트를 줄여 줘서 고마워"라고도 했다. 그것도 다 자기가 월세를 대신 내주는 덕이라고 속으로 생각하고 있을 것이다. 실제로 그러지 않았다면 핑크살롱을 그만두고 커피숍 아르바이트를 할 수도 없었다. 자신이 베푼 은혜와 나의 약점을 가끔 들이밀며 어느 쪽이 더 우위에 있는지 깨닫게 하는 것이다.

멍청한 부잣집 아가씨가 아니었다. 나쓰키는 교활한 악마다.

그러니 11월 마지막 밤에 나쓰키가 말실수라고 둘러댄 그 말에도 분명 간교한 계산이 숨어 있었을 것이다.

나쓰키의 집에서 고생한다고 먹으라며 보낸 고급 육류가 도착했을 때였다.

"부모님이 너한테 앞으로도 잘 부탁한대. 내가 평소에 네 도움을 많이 받는 걸 알고 계시니 두 분 다 널 엄청 신뢰하셔. 심지어 아빠는 널 만난 적도 없는데 개라면 안심하고 추천할 수 있었다고."

"……추천?"

불현듯 안 좋은 예감이 고개를 들었다. 나쓰키가 깜짝 놀라 입을 다무는 모습을 보고 예감은 확신이 되었다.

"내가 구한 직장, 설마 너희 아버지가 뒤에서……?"

내 손으로 직접 거머쥐었다고 생각했다. 노력이 보상받았다고 생각했다. 순수하게 미술로 먹고살 재능이 없어도 내 나름의 꿈을 내 힘으로 이뤘을 터였다.

"아니. 그런 건 아니야. 그냥 우연히 그 회사 사장님이 우리 아빠의 지인이라 딸 친구가 이번에 입사 시험을 본다고 귀띔만 했대. 합격한 건 다 네 노력 덕분이야."

이렇게 속이 빤히 보이는 위로가 있을까. 나쓰키가 초조한 것처럼 내는 새된 목소리가 내 자존심을 산산조각 냈다. 연줄로 입사한 이 아이와 내가 같은 부류라니. 자유를 향한 티켓이라고 믿었던 것이 나쓰키에 의해 주어진 것이었다니.

나는 집을 뛰쳐나갔다. 나쓰키에게서 떨어지고 싶은 일념으로 뛰고 또 뛰다가 문득 정신을 차리니 '지도리'의 칙칙한 불빛이 나를 부르고 있었다. 뭔가에 홀린 사람처럼 오래된 미닫이문에 손을 갖다 댔다. 지갑도 안 가져왔는데. 오랜 세월 '가미생들의 엄마' 역할을 맡고 있는 아주머니가 문을 열고도 들어오지 않는 나를 보고 "괜찮으니 들어와 앉으렴" 하고 카운터 가장 안쪽 자리를 비워 주었다. 그때 내 얼굴은 아마 엉망진창이었을 것이다.

넋이 나간 상태로 아주머니가 만들어 준 어묵탕을 먹었다. '지도리'의 어묵탕은 어묵이 듬뿍 들었고 꽃 모양으로 썬 당근이 들어 있다. 그것을 보며 초등학교와 유치원 때 선생님께 받은 꽃 모양의 '참 잘했어요' 도장을 떠올렸다. 당시 나는 친구들 사이에서 그림과 만들기를 제일 잘하는 아이였다. 그런 추억이 어렴풋이 머리를 스쳤다.

구석에 있는 테이블석에서 일한 지 얼마 안 된 남자 아르바이트생이 손님과 티격태격하고 있었다. 그러다가 아르바이트생이 당신 같은 손님은 필요 없다며 손님을 내쫓고 말았다. 그 모습이 내 눈에는 그야말로 통쾌해 보였다.

나도 저렇게 하고 싶다. 너 따위 필요 없다며 내 인생에서 나쓰키를 쫓아내고 싶다. 약점만 잡히지 않았다면. 어떻게 해야 걔가 그 사건을 잊게 할 수 있을까.

걔가 죽어 준다면.

느닷없이 떠오른 생각에 화들짝 놀라 그릇을 든 손을 헛짚고 말았다. 앞으로 기운 그릇에서 어묵탕 국물이 입안에 쏟아져 들어와 컥컥거리며 기침을 했다. 지금까지도 나쓰키가 죽었으면 하고 생각한 적은 여러 번 있다. 그러나 방금 떠올린 '죽어 준다면'은 그보다 한 발짝 더 나아간 느낌이었다. 콜록거리느라 몸이 달아올랐다. 그러나 머릿속은 이상하리만큼 차갑다.

한 시간 후 집에 돌아온 나는 울어서 퉁퉁 부은 눈으로 현관에 나온 나쓰키에게 사과했다.

"놀라게 해서 미안."

"아니, 내가 미안해. 난 그저 네가 원하는 회사에 들어가면 좋을 것 같아 아빠한테 부탁한 건데 이렇게 네게 상처가 될 줄은 몰랐어. 그 회사에 합격한 건 정말로 다 네 실력 덕분이야."

"고마워."

그날 밤 나쓰키가 욕실에 들어간 틈을 타 나쓰키의 스마트폰을 집어 들었다. 잠금을 해제하는 모습을 여러 번 봐서 암호는 알고 있다. 나쓰키의 스마트폰은 나와 같은 기종이라 같은 기본 애플리케이션이 깔려 있을 것이다. 스케줄 애플리케이션을 금세 찾았다. 스케줄을 입력해 두면 당일 지정한 시간에 홈 화면에 표시돼 알려 주는 앱이다.

앱을 켜고 조용히 날짜를 스피커에 대고 말했다.

"1월 11일."

졸업 작품 전시회 날.

심호흡을 한 번 하고 뒷말을 잇는다.

"널 죽일 거야."

무자비한 선언처럼, 나쓰키가 바로 눈앞에 있는 것처럼.

음성 입력 기능으로 스케줄이 등록됐다. 나쓰키는 스케줄 노트를 따로 쓰고 있으니 알아챌 리는 없다.

"오전 9시에 알림."

이로써 1월 11일 오전 9시 나쓰키의 스마트폰에 '널 죽일 거야'라는 글자가 표시된다. 졸업 작품 전시회 날 아침에 느닷없이 살인 예고를 접하게 되는 것이다.

물론 진심은 아니었다. 죽어 주기를 바라는 마음은 진심이지만 실행에 옮길 수 있을 리 없다. 그러니 다른 방법으로 혼쭐을 내 주고 싶었다. 나쓰키의 졸업 작품은 당일에 퍼포먼스로 보여 주는 형태라 그전에 극심한 충격을 받으면 본무대에서 실수를 저지를 수 있다. 계획대로 되지 않을 가능성도 있지만 적어도 마음에 타격을 입힐 수 있다. 그동안 내가 당한 것에 비하면 초라한 수준의 복수다.

나쓰키가 욕실에서 나오는 소리가 들렸다. 나는 터져

나오려는 웃음을 애써 집어삼켰다.

"아, 제야의 종이다. 미호, 제야의 종 행사 시작해!"

나쓰키가 슬리퍼 소리를 탁탁 울리며 베란다로 달려가 미닫이문을 열었다. 레이스 커튼을 흔들 미풍조차 불지 않는 평화로운 밤. 그러나 살이 에일 정도로 차가운 냉기가 집 안에 천천히 들어왔다.

"올해도 이제 끝이구나. 너한테는 정말 신세 많이 졌어."

나쓰키의 졸업 작품 준비는 크리스마스 전에 끝났다. 애초에 당일 퍼포먼스에 중점을 둔 작품이라 사전 작업은 그리 많지 않았다. 시작이 늦었다고 해도 내가 따로 도울 필요도 없었다. 나쓰키는 그저 자신의 지배력을 즐기고 싶었을 뿐이다.

"넌 12월 31일에 신사에 가? 우리는 매년 가족이 모여서……."

내 졸업 작품 마무리 작업을 하고 있던 나는 손을 멈추고 벌떡 일어섰다. 나쓰키가 귀찮게 말을 거는 건 평소와 다를 바 없지만 오늘은 유달리 시끄러웠다. 조금 전부터 TV 채널을 시도 때도 없이 바꾸며 이 가수는 어떻다느니 저 개그맨은 어떻다느니 떠들고, 열심히 일하는 내 옆에 코코아와 과자를 들고 와 계속 치근덕거리고 있다.

"응? 왜 그래?"

"새해맞이 국수*먹을래? 집에는 라면밖에 없지만."

시끄럽다고 소리치는 대신 지그시 미소 지었다. 나쓰키의 스마트폰에 설치한 시한폭탄을 떠올리면 미소 지을 수 있었다.

이렇게 방해해서는 작업에 집중할 수 없다. 나쓰키 몫의 라면에 수면제를 넣었다. 나쓰키 때문에 내가 먹게 된 수면제를 나쓰키를 위해 쓰니 조금은 유쾌했다.

얼마 후 나쓰키는 꾸벅꾸벅 졸기 시작했다. 수면제에 익숙하지 않은 탓인지 체질 탓인지 몰라도 나쓰키에게는 약효가 지나치게 세서 침대에 갈 때 비틀거리느라 내가 옆에서 부축해야 했다. 간신히 혼자가 된 나는 TV 대신 좋아하는 음악을 틀고 작업에 집중했다.

새벽까지 작업하고 잠자리에 들었다가 점심 무렵 눈

* 일본에서는 '도시코시소바'라고 해 12월 마지막 날 메밀국수를 먹는 풍습이 있다.

을 뜨자 집 안에 나쓰키가 보이지 않았다. 어제 31일에 가족끼리 신사니 뭐니 했으니 친구와 외출이라도 했을 것이다. 예상도 못 한 기분 좋은 새해의 시작이다. 나쓰키의 본가에서 보내 준 오세치* 요리가 있지만 손대지 않고 집에 있는 채소와 달걀을 볶고 토스트를 구웠다.

브런치를 다 먹고 다시 졸업 작품 제작에 몰두했다. 끝내려면 아직 조금 남았는데 지금까지는 아주 성공적이다. 우수상 정도는 노려봐도 되지 않을까. 그 하세쿠라 교수도 내 판화를 칭찬해 준 바 있다.

전화벨 소리가 귀에 들렸을 때는 이미 주변이 상당히 어두워져 있었다. 집중하느라 시간 가는 줄 몰랐다. 벨소리가 언제부터 들렸는지도 가늠되지 않는다. 서둘러 스마트폰을 집어 들자 화면에는 모르는 전화번호가 표시돼 있었다. 일단 "여보세요" 하고 전화를 받았지만 상대는 대답이 없다. 새해 첫날부터 장난 전화라니. 끊으려는 순간 웬 여자가 속삭이듯 내 이름을 불렀다.

—미호니?

* 설에 먹는 일본의 명절 요리.

나쓰키의 어머니였다. 나쓰키는 위급 상황에 대비해 부모님께 내 전화번호를 가르쳐 줬다고 했다. 그리고 지금이 바로 그때였다. 나쓰키가 후지사와역 플랫폼에서 떨어져 크게 다쳤다며 나쓰키의 어머니가 피로에 찌든 목소리로 말했다.

—다행히 열차가 오지 않아 목숨은 건졌지만 응급 수술을……. 연락이 늦어서 미안하구나.

나는 "아뇨" 하고 대답하는 것이 고작이었다. 심장이 쿵쾅거렸다. 자세한 사정은 묻지도 못하고 어머니가 불러 준 병원 이름을 메모했다.

다음 날 가즈사와 함께 병원에 갔다.

가즈사는 학교 작업실에 틀어박혀 졸업 작품 제작에 몰두하느라 오랜만에 만났다. 얼굴이 약간 핼쑥해졌고 눈동자가 번뜩이는 것처럼 보이는 건 제작에 온 힘을 쏟고 있다는 증거일 것이다. 항상 그렇듯 더러운 작업복에 머리카락은 부스스하고 가방에는 늘 쓰는 크로키북이 보였다. 칠칠맞은 미소도 평소와 똑같아서 여기 온 이유를 아는지조차 의심스럽다.

나쓰키가 입원한 병실은 중환자실이 아닌 평범한 1인

실이었다. 아니, 평범보다는 조금 위일 것이다. 넓고 밝은 병실은 벽과 문, 조명 모두 따스한 색채로 이뤄졌고 대형 TV와 소파가 있어 마치 호텔 방을 연상케 했다.

침대 옆에 있던 나쓰키의 어머니는 우리가 이름을 대지도 않았는데 "미호와 가즈사구나" 하고 우리의 얼굴을 번갈아 보며 활짝 웃었다. 나쓰키가 사진을 보여 줬거나 평소에 우리 이야기를 자주 했을 것이다.

"바쁠 텐데 일부러……."

어머니는 미처 말을 잇지 못하고 눈을 감았다. 눈꺼풀에 힘을 꾹 싣더니 다시 눈을 뜨고 온화한 눈길로 내 손을 바라봤다.

"예쁘네. 나쓰키 주려고 산 거야?"

나는 작은 꽃다발을 손에 들고 있었다. 병문안 예절이나 나쓰키가 어떤 꽃을 좋아하는지 몰라서 꽃집에서 병문안용 꽃을 3천 엔에 샀다.

"고마워. 지금 바로 꽂아야겠다."

병실에는 멋들어진 크리스털 글라스 꽃병이 있고 꽃병에 잘 어울리는 꽃이 이미 꽂혀 있었다.

"친구가 가져온 꽃을 꽂아야 나쓰키도 기뻐하겠지. 그럼 잠깐 다녀올게."

어머니는 내 손에서 꽃다발을 가져가더니 꽃병을 품에 안고 눈물 젖은 얼굴을 숙이며 병실을 나갔다. 그 친구가 딸의 죽음을 바라고 있으리라고는 꿈에도 생각지 못할 것이다.

나는 병실 입구 근처에 그대로 서서 침대에 다가갈지를 망설이고 있었다. 나쓰키는 약 기운 때문에 잠들어 있는지 천장을 보고 누운 자세로 꼼짝도 하지 않는다. 고개를 반대편으로 돌리고 있는 탓에 얼굴이 잘 보이지 않지만 머리에 감긴 하얀 붕대가 발걸음을 무겁게 했다.

그런 나를 아랑곳하지 않고 가즈사는 나쓰키를 향해 뚜벅뚜벅 걸어갔다. 침대 옆에서 멈춰 서서 반대편 베개맡 쪽으로 돌아간다. 그리고 크로키 북을 펼쳤다.

"잠깐만, 가즈사."

깜짝 놀라 침대 옆으로 달려갔다가 퍼뜩 숨이 멎었다. 나쓰키의 얼굴 절반이 두꺼운 붕대로 뒤덮여 있었다. 얼굴에 상처가 생긴 것이다. 얼굴에. 그것도 작지 않은.

멍하니 선 내 앞에서 가즈사는 크로키 북에 대고 연필을 쓱쓱 움직이기 시작했다. 다친 친구의 얼굴을 그대로 옮겨 그리고 있다.

"뭐 하는 거야……?"

목소리가 떨렸다. 가즈사는 집중하고 있어서 내 말을 못 들은 듯했다. 대상을 관찰하는 냉정한 눈. 희미한 미소를 머금은 입술. 몸에 난 상처를 보기 위해 망설임 없이 이불마저 들춘 기세다.

나는 섬뜩해져서 손으로 위팔을 감쌌다. 뻣뻣한 싸구려 코트 너머로 근육이 차갑게 경직된 것이 느껴진다.

대상이 무엇이든 상황이 어떻든 신경 쓰지 않고 마음에 와닿는 것을 즉시 그린다. 그런 게 예술가라면 가즈사는 반박할 수 없는 진정한 예술가다. 하지만 이건 정상이라 할 수 없다.

그리고 나는 슬플 정도로 평범한 인간이었다. 죽어주기를 바란 사람이더라도 얼굴에 났을 큰 상처를 떠올리자 마음이 아팠다. 어머니의 눈물과 미소를 직접 보니 가슴이 미어졌다. 크로키 북을 펼친다는 건 상상도 못 할 일이다.

혼자 도망치듯 병실을 빠져나갔다. 서둘러 병원에서 나가려고 할 때 대뜸 뒤에서 누가 "저기요" 하고 나를 불러 세웠다. 깜짝 놀라 돌아보니 수수한 회색 양복을 입은 남자가 빠른 걸음으로 다가오고 있었다. 성큼성큼

발걸음을 뗄 때마다 리놀륨 바닥에 발소리가 울려 퍼진다. 근육질 체형에 누가 봐도 힘이 세 보인다.

"요네하라 나쓰키 씨의 친구분인가요?"

나쓰키의 가족은 아닌 듯했다. 나이는 40대 정도 될까. 짧게 깎은 머리와 진하고 직선적인 눈썹, 날카로운 눈빛. 보통내기가 아니라고 얼굴에 쓰여 있다. 핑크살롱에서 일할 때처럼 남자의 직업을 헤아려 봤지만 도저히 감이 오지 않았다.

"그런데요."

당황하고 있을 때 나쓰키의 어머니가 돌아왔다. 두 손에 든 크리스털 글라스 꽃병에 내가 가져온 꽃이 꽂혀 있다. 최대한 화려하게 연출했지만 볼륨감이 부족해서 뭔가 적적한 느낌을 지울 수 없다.

"딸의 친구인 와타나베 미호예요. 같은 학교에 다니고 딸과 함께 살고 있어요. 미호, 이분은 가나가와 현경에서 일하는 하자쿠라 형사님이셔. 미호 아빠가 수소문한 덕에 수사1과 형사님이 이번 일을 수사해 주기로 하셨어."

"형사요?"

가볍게 고개를 숙인 그를 나는 당혹감 섞인 눈빛으로

쳐다봤다.

“수사라면…….”

나쓰키의 어머니가 설명하기 전에 하자쿠라가 먼저 입을 열었다.

“미호 씨. 한 가지 여쭙겠습니다만, 혹시 최근 나쓰키 씨 주변에서 뭔가 이상한 일이 일어나거나 하지는 않았습니까? 또는 그런 이야기를 들은 적은.”

“저…… 무슨 뜻인지 잘.”

“질문이 막연해서 대답하기 어려울 수 있겠지만 어떤 사소한 것이든 좋으니 알려 주십시오.”

“그게 아니라 형사님이 왜 그런 걸 물으시나 해서요. 나쓰키가 다친 일과 관련이라도 있나요?”

내 질문에 대답한 사람은 하자쿠라가 아닌 나쓰키의 어머니였다.

“실은 말이지. 누군가가 나쓰키를 밀쳤을 가능성이 있대.”

“네?”

하자쿠라가 제지하려고 했지만 어머니는 개의치 않고 말을 이었다.

“그런 모습을 봤다는 목격자가 나왔어. 그래서 열차

홈에 달린 CCTV를 조사하니 추락 직후 현장에서 사라지는 수상쩍은 사람이 찍혀 있었다는구나. 후드를 뒤집어쓰고 있어서 남자인지 여자인지 불분명하지만. 그런데 나쓰키는 자기가 밀려 떨어진 게 아니라 아침부터 계속 머리가 멍해서 실수로 떨어졌다고 하고 있어. 하지만 스마트폰에……."

스마트폰? 순간 온몸에 소름이 쭉 돋았다.

어머니는 "미안하다" 하고 코를 훌쩍였다. 품에 안은 꽃병에서 쓸쓸해 보이는 꽃이 조금씩 흔들리고 있다.

"CCTV 영상에 나쓰키가 스마트폰을 보는 모습이 찍혀 있었대. 화면을 보자마자 놀란 듯이 멈춰 서서 뚫어지게 화면을 바라봤다더구나. 그래서 주변 사람들도 뭔가 이상하다고 생각했겠지. 당시 나쓰키 옆에 있던 사람이 무심코 나쓰키의 스마트폰 화면을 봤고, 그곳에는…… '널 죽일 거야'라는 글자가 적혀 있었다고 해."

"……그게 몇 시인가요?"

"스마트폰을 본 시간? 9시 정각이었다던데."

머리를 세게 얻어맞은 듯한 충격은 이런 순간을 지칭하는 걸까. 나쓰키의 스케줄 애플리케이션에 그 문장을 입력한 사람은 나다. 하지만, 어째서? 내가 등록한 날짜는 졸업 작품 전시회 날 아침인 1월 11일 9시였는데.

"나쓰키는 그것도 아니라고 하고 있어. 그 사람이 분명 잘못 봤을 거라면서. 스마트폰은 나쓰키가 선로에 떨어질 때 고장 나서 확인할 수 없지만, 얘, 혹시 나쓰키가 누구한테 협박이라도 당했니? 내가 엄마라서 그럴 수도 있지만, 우리 딸이 그렇게까지 다른 사람에게 미움을 살 만한 아이는 아닌 것 같은데."

'그렇지?' 하고 호소하는 듯한 시선이 심장에 꽂힌다. 숨이 가쁘고 지금 내가 어떤 표정을 짓고 있는지 불안해 견딜 수 없다.

하자쿠라가 다시 입을 열었다.

"조금 전 질문을 이어 가겠습니다만, 어떤가요. 나쓰키 씨 주변에서 요새 뭔가 이상한 일이라도 있었습니까?"

"……모르겠어요. 없었을 거예요."

간신히 목소리를 쥐어짜 냈다.

"나쓰키 씨를 원망했을 만한 사람으로 짚이는 분은?"

"없어요."

나쓰키의 어머니가 끝내 참지 못하고 울음을 터뜨리며 고개를 연신 끄덕였다.

"나쓰키 씨는 설날 신사 참배를 갈 거라고 어머니께

연락했다고 합니다. 미호 씨는 함께 가지 않았나요?"

"전 졸업 작품을 아직 완성하지 못했거든요. 전날 밤에 늦게 자서 낮이 다 돼서야 깼고, 눈을 떴을 때는 나쓰키가 집에 없었어요."

"혹시 다른 친구와 약속이 있다는 이야기는 못 들었습니까?"

"디자인과 아이를 만났을 수도 있지만 전 나쓰키와 전공이 달라서 그쪽 관계는 잘 몰라요."

그러자 어머니가 같은 과에 있는 사이좋은 친구라면 왠지 알 것 같다고 했다. 조금 뜻밖이었다. 나쓰키는 평소 내 앞에서 그런 이야기를 거의 하지 않았다. 아니면 내가 제대로 듣지 못한 걸까.

하자쿠라는 질문을 마쳤다.

"고맙습니다. 나쓰키 씨가 아직 그날 일을 조리 있게 설명할 상태가 아니어서 나중에 다시 한번 이야기를 들으러 찾아뵐 수도 있습니다."

감정이 느껴지지 않는 담담한 목소리였다. 나는 턱이 떨릴 것 같아서 어금니를 악물고 말없이 고개를 숙였다.

조금 더 있다 가라는 어머니의 권유를 뿌리치고 병원을 뛰쳐나가 곧장 스마트폰을 꺼내 들었다. 나쓰키와 똑같은 기종. 똑같은 기본 애플리케이션. 그중 스케줄 앱을 켜고 나는 "1월 11일" 하고 음성을 입력했다.

무심코 신음이 나왔다. 좋지 않은 예감이 적중하고 말았다.

화면에 표시된 날짜는 '1월 1일'. 스마트폰 또는 애플리케이션의 오류로 '십'이라는 음성이 인식되지 않은 것이다.

인간이라면 1일과 11일을 틀리지 않을 것이다*. 그러니 이런 오류가 생길 가능성을 간과하고 말았다. 게다가 그때는 어두운 희열에 취해 있느라 냉정하지 못했다.

어쩌지. 나쓰키가 그날 플랫폼에서 떨어진 건 나 때문이다. 나쓰키의 얼굴을 그렇게 만든 사람은 나다.

나쓰키는 스마트폰에 표시된 문장을 보고 극심한 충격을 받아 넋이 나간 상태에서 다른 사람에게 떠밀려 넘어진 것이 분명하다. 그것을 부정한 건 가족들에게 걱정을 끼치고 싶지 않아서일까. 아니면 스스로 잘못 봤다고 믿는 걸까.

* 일본어로 1일은 보통 '쓰이타치', 11일은 '주이치니지'로 발음하므로 틀릴 확률이 극히 낮다.

아침부터 머리가 멍했다는 것도 전날 밤 내가 몰래 수면제를 먹인 영향일 것이다. 나쓰키에게는 약효가 너무 셌다. 다음 날 아침까지 약효가 남아 있었어도 이상하지 않다.

현장에서 사라졌다는 수상한 사람은 이번 일과 관련이 없거나, 또는 몸을 부딪친 다음 두려운 나머지 도망쳤을 것이다. 평소에 나쓰키를 증오하고 위협할 사람은 존재하지 않았으니까. 만약 그런 사람이 있었다면 내게 말하지 않았을 리 없다.

솔직하게 사과하면 용서받을 수 있을까. 나는 체포되거나 재판을 받게 될까. 치료비와 합의금, 언론 보도. 무시무시한 상상이 끊임없이 떠올랐다. 그럴 의도는 아니었다고 호소해 운 좋게 처벌을 피한다고 해도 이미 세상에서는 범죄자 낙인이 찍힌다. 모두의 눈총을 살 것이다. 취직은 어떻게 될까. 입사가 취소될까. 만약 회사에 무사히 들어간다고 해도 나쓰키의 아버지가 관련된 회사이니 매일매일 가시방석에 앉은 느낌일 것이다.

무엇보다 나쓰키가 어떻게 나올지가 두려웠다. 핑크살롱 아르바이트보다 더 큰 약점을 잡힌 것이다. '날 이 모양으로 만들었으니 너도 책임져야지'라고 하면 할 말이 없다. 앞으로 평생 나쓰키의 지배를 받으며 살게 될 것이다.

아무한테도 말 안 할게. 순간 나쓰키의 목소리가 들린 것 같아서 두 손으로 귀를 틀어막았다. 손에 들고 있던 스마트폰이 귀를 때렸다. 머리가 멋대로 좌우로 흔들렸다. 싫어. 노예는 이제 싫어!

정신없이 내 방에 뛰어 들어가 갖고 있던 수면제를 모두 쓰레기통에 깊숙이 처박았다. 하지만 금세 불안해져서 수면제를 다시 꺼내 이번에는 여행용 캐리어 가방 주머니에 넣었다. 집 안에 있는 내 물건을 캐리어에 마구 쑤셔 넣고 아파트를 나섰다. 집에 돌아가야겠다고 생각했다. 어쨌든 여기서는 도망치고 싶었다.

가는 도중 특급 열차로 갈아탈 때 큰 역 쓰레기통에 수면제를 버렸다. 넌지시 버리려고 했지만 혹시라도 누가 볼까 봐 안절부절못했다. 몸이 땀에 흠뻑 젖었는데도 머플러를 입가까지 끌어올리고 '이제 됐어, 끝이야' 하고 연신 스스로 되뇌었다.

이번 설에는 졸업 작품 때문에 못 갈 거라고 한 마당에 불쑥 집에 돌아온 나를 보며 가족들은 깜짝 놀랐다. 나는 작품을 일찍 마쳤다고 거짓말하고 피곤하다며 서둘러 내 방으로 들어갔다. 두 평 반짜리 다다미방이 지금은 창고가 돼 있었다. 몇 번 신지도 않은 조깅화와 홈쇼핑 방송에서 본 적 있는 다이어트 제품 박스, 고장 난 스피커. 어떻게든 공간을 확보해서 바닥에 이불을 깔았을 때는 온몸이 녹초가 돼 있었다. 옷장에서 막 꺼낸 조금 눅눅한 이불에 얼굴을 파묻고 숨 죽여 울음을 터뜨렸다.

다음 날 아침, 식탁 대신 쓰는 고타쓰에는 먹다 남긴 오세치와 김이 모락모락 나는 오조니*가 놓였다. 매사 무심한 어머니지만 오조니를 만들 때는 꼭 당근을 예쁘게 썰어서 넣는다.

"떡은 하나로 충분하지? 부족하면 더 줄 테니 말해."

알겠다고 대답했지만 하나도 다 먹지 못할 것 같았다.

"너도 한잔할래?"

아버지가 사케 병을 들고 말했다. 지역 양조장에서 만든, 평소에는 거의 마실 일 없는 좋은 술이다.

"미호, 아빠가 널 오해해서 미안하다. 미대라고 우습

* 장국에 찹쌀로 만든 직사각형 떡을 넣어서 먹는 일본식 떡국.

게 봤는데 그런 대기업에 디자이너로 들어가다니. 우리 딸 정말 대견해."

"요새 엄마 아빠는 어디를 가든 저 소리만 해."

동생 겐스케가 각진 떡이 두 개 든 오조니를 먹으며 장난스럽게 중얼거렸다. 최근 몇 년간 가족들과 거의 연락하지 않았고 아침 식탁에 모습을 비추지도 않았지만 오늘 아침에는 시간에 맞춰 눈이 떠졌다.

다들 기분이 좋아 보인다. 나는 꽃 모양 당근을 입에 넣었다. 역시 취직을 포기할 수는 없다. 이 사람들을 범죄자의 가족으로 만들어선 안 된다.

5일 밤에 가미쿠라로 돌아가 6일에는 커피숍 아르바이트를 하러 갔다. 가족과 함께 있는 동안 곰곰이 지난날을 되짚어 봤지만 내가 그 짓을 저질렀다는 증거는 없다. 하자쿠라라는 형사도 딱히 나를 의심하는 것 같지 않았고, 내가 말실수를 하지도 않았을 것이다. 이대로 잘 넘길 수 있다. 그러려면 평소처럼 행동해야 한다. 주의를 기울여 가며.

아르바이트를 하는 동안 형사 두 명이 찾아왔을 때도 나는 스스로 그렇게 되뇌고 있었다. 불안감 때문에 술렁거리는 마음을 가라앉히고 잠시 나갔다 오겠다며 근처 어린이 공원에 갔다. 날씨가 흐려서인지 아이들의 모습은 보이지 않았다.

“일하는 도중에 미안합니다. 요네하라 나쓰키 씨 일 때문에 왔는데, 무슨 일인지는 대충 아시죠?”

사오토메라는 이름의 중년 형사가 쉿소리 섞인 목소리로 물었다. 험상궂은 얼굴에 우락부락한 체형. 귀가 찌부러진 건 유도를 한 사람의 특징이라고 들었다.

“네. 병문안 갔을 때 어머니께 들었어요. 하자쿠라라는 형사님과도 이야기했는데.”

그러자 “하자쿠라 녀석” 하고 다른 한 명이 끼어들었다.

“그 녀석, 무섭지 않았어? 말할 때 뭔가 언짢아 보였지? 기분까지 언짢은 건 아닌데 버릇처럼 그런다니까.”

대뜸 허물없이 반말로 말을 걸어 와 순간 당황했다. 하자쿠라나 사오토메와 다르게 머리카락이 약간 길고 건들거리는 분위기가 영 경찰 같지 않다. 한마디로 말해 촐랑거리는 동네 아저씨. 얼굴은 동안인데 말하는 걸 보니 하자쿠라 형사와 나이가 비슷한 걸까.

“가노, 공과 사를 구분해라.”

사오토메가 노려보며 그렇게 말하자 가노라는 남자

는 어깨를 으쓱했다.

"네, 네. 그래야지요. 전 오늘 조수나 마찬가지니 사오토메 선배님을 보며 한 수 배우겠습니다."

사오토메는 할 말이 더 있는 듯했지만 집어삼키고 내 쪽으로 시선을 돌렸다.

"우선 요네하라 나쓰키 씨와 어떤 관계인지부터 알려 주시겠습니까?"

"대학교 친구고, 같이 살아요."

알게 된 계기부터 함께 살면서 역할 분담을 어떻게 하는지까지 일일이 설명하며 신경을 곤두세우고 말실수에 주의했다. 진짜 관계를 들켜서는 안 된다. 노예에게는 지배자를 증오할 동기가 있다.

"그렇게 친한 친구라면 교우관계 정도는 알지 않나요? 아무리 전공이 다르다고 해도."

"하자쿠라 형사님께도 말씀드렸지만 정말 잘 몰라요. 저랑 또 한 명 가즈사라는 아이와 친하다는 것밖에."

"요시다 가즈사 말이군요. 가미쿠라 미술 대학 유화과 4학년."

이미 다 조사했고 도망칠 수 없으니 포기하라고 윽박지르는 것 같아 순간 겁먹을 뻔했다.

그때 가노가 다시 끼어들었다.

“가즈사 씨한테도 곧 이야기를 들으러 갈 건데, 예술가들은 변덕이 심해서 힘들다니까요. 학교 안 작업실에 틀어박혀 있다고 들었는데 막상 가 보니 없었고 오늘까지 소식도 한 통 없었어요. 학교에서 만난 친구는 미호 씨도 고향에 내려가지 않았을 거라던데.”

가슴이 덜컥했다. 나에 대한 정보를 학교에서 듣고 온 걸까. 설마 날 의심하나? 가노의 표정에서 해답을 찾기 위해 열심히 살폈지만 시종일관 히죽거리기만 해서 아무것도 읽을 수 없다.

“갑자기 마음이 바뀌었어요. 나쓰키가 그렇게 되니 그 집에 혼자 있고 싶지 않아서.”

말이 조금 빨라졌을지도 모른다. 바람이 낙엽을 쓸어가는 소리가 묘하게 귀에 거슬린다.

가노는 “그야 그렇겠죠” 하고 딱하다는 듯이 고개를 끄덕였다.

“그럼 남자관계는?”

질문자가 다시 사오토메로 바뀌었다. 뜬금없는 질문에 순간 당황했다.

“남자요?”

"나쓰키 씨한테 남자 친구는 없었습니까? 좋아하는 남자나 다가오던 남자라든지. 여대생이니 한 명 정도는 있지 않아요?"

"그런 사람은 없었던 것 같아요. 적어도 대학에 들어간 뒤로는요. 물론 제 앞에서만 말을 안 했을 수도 있어요. 가끔 연락처를 묻거나 함께 밥 먹자는 남자는 있었는데, 족족 거절했어요."

"왜죠?"

아마 나쓰키는 나와 함께 있고 싶었을 것이다. 애인보다 친구를 원하는 여자는 드물지 않다. 하지만 그것은 내 추측에 불과하고 이 형사들이 이해해 줄지는 알 수 없다.

"이유는 못 들었어요. 그냥 공부랑 작품 제작에 집중하고 싶었을지도 모르죠."

"요즘도 그런 대학생이 있군요."

사오토메는 불만스러운 듯이 코를 벌름거렸다.

"그럼 나쓰키 씨에게 악의를 품을 만한 사람은?"

나는 일부러 눈을 살짝 돌려 미끄럼틀 아래에 쌓인 낙엽을 보며 대답했다.

"없어요."

사오토메는 한숨을 내쉬고 큰 머리를 벅벅 긁었다. 가노 쪽을 힐끗 봤지만 그는 주머니에 두 손을 찔러 넣고 추운 듯이 떨고 있을 뿐이다.

"마지막으로 1월 1일 미호 씨는 어디서 뭘 했는지 알려 주세요."

나는 있는 그대로 설명했다. 줄곧 방 안에 혼자 있었으니 증명할 수 없지만 사실이다. 나는 아무 짓도 하지 않았다. 적어도 1월 1일에는.

밤 7시에 아르바이트를 마친 나는 그길로 학교로 향했다. 양옆에 은행나무가 늘어선 길을 종종걸음으로 지나 캠퍼스 외곽에 덩그러니 있는 작업실로 간다.

작업 공간이 더 많은 공방 건물과 분리돼 있고 노후화 때문에 평소에는 잘 쓰지 않는 건물이지만 넓고 혼자 조용히 작업할 수 있어서 재작년 지진 이후에도 그곳을 쓰려는 학생이 끊이지 않는다. 올해 그 권리를 거머쥔 사람은 가즈사였다. 작업실 사용 시간 따위는 무시하고 거의 매일 눌러붙어 살고 있다. 작품 제작을 위해서라고 하면 웬만하면 봐주는 게 이 대학의 장점이다.

작업실 건물은 숲 한가운데에 파묻힌 것처럼 있었다.

가장 가까운 도서관과도 3백 미터 이상 떨어져 있는 데다가 학교 부지 안에서 한참 뒤쪽에 있다. 그 뒤로는 더 멀리 운동장과 테니스 코트만 있을 뿐이다. 가끔 바람에 떡갈나무 잎사귀가 흔들리는 소리 외에는 쥐 죽은 듯이 고요하다. 작업실에서 희미하게 새는 불빛은 짙은 어둠을 씻어 주기에 역부족이었다.

그런 곳에서 가즈사는 혼자 붓을 쥐고 있었다. 작업실에 발을 디딘 순간 몸이 굳어 버렸다. 내게 등을 돌린 가즈사가 마주하고 있는 것은 길이가 3미터는 넘어 보이는 캔버스다. 화염일까. 아니면 파도? 소용돌이? 거대한 화폭에서 몸부림치는 색. 압도적인 그로테스크. 보고 있으면 숨이 가쁠 정도다. 그 양옆 벽에도 같은 크기의 추상화가 기대어 세워져 있다. 색채는 다르지만 그림에서 느껴지는 압력은 똑같다. 집어삼키고, 짓누른다. 몸도 마음도 전부 색에 침식될 것 같다.

"응? 미호?"

가즈사가 휙 돌아봤다. 나는 그림에 정신이 팔린 채 아마도 "말을 걸어도 대답이 없어서" 같은 말을 중얼거렸을 것이다.

"대단해……."

떨리는 몸을 감쌌다. 온몸의 털이 곤두서고 살갗이 찌릿거린다. 가즈사의 작품을 보면 항상 정신을 빼앗겼지만 이토록 강렬한 정념을 느끼는 건 처음이었다.

가즈사는 물감으로 더럽혀진 얼굴에 어린아이 같은 미소를 지어 보였다.

"그렇지? 아직 아무도 안 보여 줬는데, 완성하면 최고 걸작이 될 거야."

어디가 미완성인지 나는 알지 못한다. 나도 이런 작품을 만들 수만 있다면. 내게 이런 재능이 있었다면. 오래전부터 느껴온 갈망을 떨쳐내고 캔버스에서 시선을 돌렸다.

"완성작을 기대할게. 그런데 오늘 혹시 형사님 만났어?"

"형사님? 아, 그 사람들. 응. 왔어. 아, 그러고 보니 그 사람들도 이 그림을 봤구나. 내 크로키 북도 보고 갔어. 너도 볼래?"

"아니, 됐어. 그래서 어떤 이야기를 했어?"

가즈사는 "흐음" 하고 천장을 올려다봤다. 조명을 받아 창백한 피부가 더 투명해 보인다.

"학교 식당 메뉴 중에 카레라이스는 추천하는데 라면

은 절대 안 된다고 했어."

"아니, 그게 아니라, 나쓰키 일에 대해 묻는 거야."

"아, 응, 그러고 보니 물었어. 근데 그 일에 대해서는 말 안 했어."

"말 안 했다고?"

"말해야 했던 거야?"

정말로 이상하다는 듯이 물어서 나는 말문이 막혔다. 가즈사는 어리둥절한 눈으로 나를 보고 있다. 그런가 싶더니 어느새 다시 관찰하는 눈빛으로 변해서 도무지 종잡을 수 없다.

"경찰이 수사하러 온 거잖아. 나쓰키를 위해서."

"나쓰키가 그러기를 원해?"

또다시 말문이 막혔다. 그날 이후 병문안을 가지 않았다. 나쓰키 역시 내게 연락할 상태가 아닐 것이다. 하자쿠라 형사가 나쓰키를 찾아가 이야기를 듣는다고 했으니 대화할 수 있는 짧은 시간은 경찰에게만 제공된다.

가즈사는 마치 당연하다시피 경찰의 질문에 답한 나를 이상하게 생각하는 듯했다. 순수한 의문을 실은 눈빛이 부담스러워서 고개를 돌렸다. 나는 평범한 사람이다. 역시 천재의 사고 회로를 따라잡을 수 없다고 삐저

리게 느꼈다.

"최근 며칠간 작업실에 없었다고 하던데, 어디 갔었어?"

"동생이 놀러 와서 아키하바라에 갔다 왔어."

물어보지 말았어야 한다고 후회했다. 친구가 그런 사고를 당했는데도, 졸업 작품을 아직 완성하지 못했는데도 가즈사의 정신세계에는 어떠한 영향도 없다. 이 싸이코! 얼굴을 찌푸리며 그렇게 외치려는 나를 세 장의 그림이 삼면에서 내려다보고 있다.

'진정해' 하고 필사적으로 스스로를 달랬다. 가즈사는 나쓰키 일에 대해 내가 불리할 이야기는 하지 않았다. 그걸 알았으니 됐다.

도망치듯 작업실을 나가 은행나무 사잇길을 뛰었다. 벌거벗은 은행나무가 검은 밤하늘을 향해 덧없이 손을 뻗고 있었다.

하자쿠라와 가노가 아파트를 찾아온 것은 졸업 작품 전시회 이틀 전 아침이었다. 사전에 연락을 받았고 거절하면 이상할 것 같아 승낙했지만 두 번 다시 만나고 싶지 않은 얼굴이었다.

그들을 거실로 안내하고 티백 홍차를 끓였다. 나는

피해자의 친구이니 형사들에게 호의적이어야 한다.

잔을 가져가자 가노는 자리에 앉지도 않고 액자에 넣어 벽에 세워 둔 내 판화를 보고 있었다. 졸업 작품 전시회에 출품할 작품으로 세로 9백 밀리미터, 가로 천 2백 밀리미터의 그림 한 점과 가로세로 3백 밀리미터의 그림 세 점. 소재는 모두 전통 공법으로 만든 종이다.

"판화는 잘 모르지만 멋진 것 같네. 제목이?"

나를 돌아보며 붙임성 있게 묻는다. 역시 주책맞아 보이는 아저씨다. 몸짓과 표정, 말투 모두 가볍다.

"'물밑에서 본 풍경'이에요."

"오. 이런 걸 그리려고 그렇게 열심히 살았구나. 그런 알바까지 하면서."

순간 온몸이 얼어붙었다. 보나 마나 분명 핑크살롱 이야기다.

"……저에 대해 조사하셨나요?"

"그게 우리 일이라. 경찰들은 다 속이 음흉해. 특히 우리 같은 수사1과 형사들은."

상스럽게 웃는 가노에게 기하학무늬 러그에 앉은 하자쿠라가 눈을 흘겼다. 그래도 가노는 아랑곳하지 않는다.

"대단하네. 생활비와 재료비 모두 스스로 해결한다

고? 아저씨는 그렇게 이 악물고 열심히 하는 아이들을 좋아해. 그래서 나쓰키도 널 응원해 주고 싶었겠지. 월세를 걔 혼자 낸다는 이야기를 듣고 이상하다 싶었는데, 그런 사정을 알고 있었다면 그럴 만도 해."

나는 홍차 잔을 올린 쟁반을 거칠게 탁자 위에 내려놨다. 나쓰키가 직접 산 잔이 요란한 소리를 울렸다.

"무슨 말을 하고 싶으신 거예요?"

"훌륭한 친구라고 할 수 있겠지. 하지만 나라면 싫었을 거야. 내 비밀을 알고 있는 사람과 함께 산다니. 하물며 상대는 나와 정반대로 귀하게 자란 부잣집 아가씨. 넌 어떻게 생각해?"

"아무 생각 없어요."

"에이, 그럴 리 있나. 다른 친구한테 푸념한 적도 있었다며. 나쓰키와 사는 게 솔직히 힘들다고."

"그런 건……."

"판화과 그룹 제작 때문에 밤을 새우고 멤버들끼리 '지도리'에 한잔하러 갔을 때 말이야. 기억 안 나? 다치바나랑 함께."

다치바나의 이름을 듣고 얼굴이 굳었다. 내게 수면제를 나눠 준 사람이 다치바나다. 그 술자리에서 어디까지 이야기했는지는 기억나지 않는다. 그러나 경찰은 내가 나쓰키에게 악감정을 품었을 가능성을 의심하는 듯하다. 내게 범행 동기가 있지 않을까 하고.

가노가 눈을 더욱 가늘게 떴다.

"난 열심히 하는 아이들을 좋아하는데, 거짓말쟁이 아이들도 정말 좋아해. 나랑 아주 궁합이 잘 맞거든."

거짓말쟁이라는 말이 거슬렸는지 뒤에서 하자쿠라가 "가노" 하고 낮은 목소리로 타박했다. 가노는 어깨를 으쓱하고 자리에 앉더니 "자, 너도 좀 앉아" 하고 자신이 마치 이 집의 주인인 것처럼 말했다. 나는 묵묵히 바닥에 양반다리를 하고 앉아 허벅지 위에서 주먹을 꾹 쥐었다.

"편하게 들어. 이야기가 꽤 길거든."

가노는 그렇게 말하고 자신도 편안하게 홍차를 입에 가져갔다. 잔을 든 손가락이 이상하리만치 길어서 균형이 맞지 않는 느낌이다.

"자, CCTV에 현장에서 사라진 수상한 인물이 찍혔다는 이야기는 들었지? 후드를 뒤집어써서 남자인지 여자인지 모르지만 마른 체형에 키는 160센티미터 전후. 네 키는?"

가슴이 철렁했다.

"그건 왜 물으세요?"

"몇 센티야?"

"……164인데요."

이렇게 노골적으로 의심하면 내가 저지른 짓이 아니더라도 겁먹고 만다.

하자쿠라가 수첩에 뭔가를 적기 시작했다. 나쓰키는 부인했다고 하지만 경찰은 역시 나쓰키가 누군가에게 밀려 떨어진 것으로 추측하는 듯하다.

"1월 1일, 나쓰키는 어떤 인물과 함께 신사에 가기로 약속하고 만나기로 했어. 그 상대가 말하기를 약속을 잡은 건 전날 31일 저녁이었다더군. 스마트폰으로 주고받은 메시지도 확인했지. 나쓰키는 그 이야기를 다른 사람에게 하지 않았으니 알고 있던 사람은 그 약속 상대의 주변 몇 사람뿐."

상대가 누군지는 알려 주지 않을 듯하다. 나쓰키의 교우 관계는 관심 없지만 나만 모르는 비밀이 있는 것은 불안하다.

"즉, 그날 그 시간에 나쓰키가 전철 플랫폼에 서 있을 거라고 예측할 수 있었던 사람은 몇 사람으로 압축된다는 말이야. 그중 범행 시각에 알리바이가 없는 사람은 두 명. 한 명은 약속 당사자이니 나쓰키가 어떤 전철을 타고 가서 몇 시쯤 후지사와에서 열차를 갈아탈지 대략 알았겠지. 그 사람의 키는 165센티미터라 CCTV 영상과도 일치해."

가노는 거기서 잠깐 말을 끊고 히죽거리며 의미심장하게 나를 쳐다봤다.

"그리고 다른 한 사람은 미호, 바로 너야."

나는 눈을 부릅떴다.

"전 나쓰키의 그날 약속 같은 건 알지도 못했어요."

"그래? 글쎄. 네 말을 증명할 방법은 없는 것 같은데."

"나쓰키는 뭐라고 하던가요?"

"너한테는 이야기 안 했다더라고. 하지만 같이 사는 너라면 몰래 스마트폰을 볼 수는 있었겠지."

반박하려고 입을 열었지만 입술만 바르르 떨리고 말이 나오지 않았다.

가노는 연기 섞인 몸짓으로 박수를 한 번 짝 쳤다. 그 소리에 내가 어깨를 움찔하는 모습을 재미있어하는 듯하다.

"스마트폰 이야기가 나와서 말인데, 그날 나쓰키의 스

마트폰에 '널 죽일 거야'라는 문장이 표시된 건 스케줄 애플리케이션의 알림 기능이었다는 게 밝혀졌어. 나쓰키가 후지사와역 플랫폼에 서 있을 만한 날짜, 시간에 알림이 뜨도록 설정했겠지. 서른여덟 먹은 이 아저씨는 뭐가 뭔지 잘 모르지만 그렇다고 본인이 직접 그런 걸 설정했을 리는 없을 거야."

목이 공기를 원하며 떨리고 있다. 나쓰키의 스마트폰은 고장 났으니 알아낼 수 없을 거라며 방심하고 있었다. 아니, 그렇게 믿고 싶었다.

"31일 저녁부터 1일 아침까지는 나쓰키가 집을 나가지 않았다는 게 아파트 입구에 달린 방범 카메라 영상으로 확인됐어. 다음 날 약속을 잡은 이후 걔 스마트폰은 줄곧 집 안에 있었다는 말이야. 그럼 그 스마트폰을 만질 수 있었던 사람은……?"

"함께 사는 저뿐이다. 굳이 돌려 말할 것도 없잖아요!"

일부러 의문형으로 말하는 것을 듣고 나는 참지 못하고 소리를 버럭 질러 버렸다.

가노는 허리를 살짝 뒤로 젖힌 채 역시나 내가 흥분하는 모습을 즐기는 것처럼 보인다.

"네가 나쓰키의 스마트폰 비밀번호를 알고 있었어도

이상하지 않지. 걔가 잠금을 푸는 걸 볼 기회는 얼마든지 있었을 테니까."

나쓰키가 전철 플랫폼에 서 있을 타이밍을 노려서 스케줄을 입력할 수 있었던 사람은 오직 나뿐. 경찰은 그렇게 추정하는 듯하다. 분명 그건 사실이다. 하지만 그렇지 않다. 나는 나쓰키를 선로에 떨어뜨리겠다는 생각 따위 해 본 적도 없다. 그렇게 다치게 할 마음은 티끌만큼도 없었다.

"범행 예고가 목적이었나? 아니면 밀치기 전에 겁을 주려고? 아, 당황해서 밀칠 틈을 만들려고 한 건가? 뭐 본인이 그 알림을 보지 못한다면 의미가 없지만."

"전 그런 짓 안 했어요!"

"나쓰키는 아침부터 머리가 멍했다고 했다지. 걔의 혈액을 채취해 조사해 보니 수면 유도제 성분이 나왔어. 너랑 같은 학과에 다니는 다치바나 알지? 네가 전에 나쓰키와 함께 사는 게 힘들다고 털어놓은 적 있는 그 다치바나 말이야. 걔가 먹는 수면 유도제와 같은 성분이었다더라. 넌 그걸 정기적으로 나눠 받았다며?"

잇달아 몰아붙이는 가노를 보며 나는 말을 못 하고 그저 고개만 흔들어 댔다.

그때 아파트 어딘가의 집 문이 여닫히는 소리가 들렸다. 문득 나쓰키의 방 쪽에 의식이 쏠렸다. 설날 이후 줄곧 닫혀 있는 그 방에는 나쓰키가 만든 졸업 작품 전시회용 의상이 그대로 방치돼 있다. 토르소*에 입혀서 거실에 뒀던 것을 내가 그쪽으로 옮긴 것이다. 토르소를 보면 마치 나쓰키가 그 옷을 입고 서 있는 것 같아서 시야 밖으로 치워 버리고 싶었다.

"나쓰키는 스케줄 앱에 그런 걸 입력할 수 있었던 사람이 너뿐이라는 걸 알고 있지 않을까. 그래서 널 감싸려고 '널 죽일 거야'라는 문장이 표시된 사실 자체를 부정했어. 또 자기를 밀친 사람도 너라고 생각해 그날 누가 밀쳐서 선로에 떨어졌다는 것도 부인했지. CCTV 속 수상한 인물도 보여 줬지만 누군지 모르겠다고 했고. 참 눈물겨운 우정이네. 안타깝게도 일방통행인 것 같지만."

나는 탁자를 세차게 두 손으로 내려쳤다. 가노의 말이 순간 멈춘다. 손바닥이 찌릿하고 욱신거렸다.

망상도 어지간히 하라고. 난 걔를 밀치지 않았어. 그

* 머리와 팔다리가 없이 몸통만으로 된 조각.

리고 나쓰키가 날 감쌀 리 없잖아. 그 악마가 정말 내가 저지른 짓이라고 생각하면서도 입을 다물고 있다면 그 안에는 분명 교활한 계획이 숨어 있을 게 틀림없어.

차갑게 굳은 손으로 바지 주머니에서 스마트폰을 꺼냈다. 손가락이 엇나가 몇 번인가 잘못 누른 끝에 문제의 스케줄 애플리케이션을 켜서 두 형사 앞에 내밀었다.

"제 스마트폰도 나쓰키와 같은 기종이니 같은 애플리케이션이 들어 있어요. 1월 11일이라고 음성 입력을 해 보세요."

그러자 가노의 얼굴에서 처음으로 미소가 사라졌다. 살짝 인상을 쓰며 내가 시키는 대로 한다. 그리고 눈을 부릅떴다.

"1월 1일……."

"아마 이 기종 또는 앱 자체의 결함일 거예요. 음성 입력으로 '십'이 인식되지 않는 거예요. 저도 나쓰키가 그렇게 되고 나서야 이걸 깨달았어요."

하얀 붕대가 얼굴 절반을 뒤덮은 나쓰키의 모습이 눈꺼풀 안쪽을 찌르듯 머릿속에 되살아났다. 오늘 내 화장, 이상하지 않아? 매일같이 내게 묻던 아양 섞인 목소리가 들린다. 자기 방에서 하면 될 텐데 뻔뻔하게 밖에 나와 온통 어질러 놓고 치우지도 않는 바람에 늘 거실 이곳저곳에 나쓰키의 화장품이 널려 있었다. 졸업 작품 전시회용 의상과 함께 전부 나쓰키의 방으로 치워 버렸지만 아직도 화장품 향기가 거실에 배어 있는 느낌이다.

하자쿠라가 다시 한번 애플리케이션으로 음성 입력을 해 보고 같은 결과를 확인하자 두 사람은 다시 내 쪽으로 시선을 돌렸다. 나는 아마 오만상을 짓고 있었을 것이다.

"네가 입력한 날짜가 1월 11일이었다고?"

"11일이 졸업 작품 전시회 날이에요. 나쓰키는 그날 퍼포먼스를 선보일 계획이었으니 그렇게 해서 충격을 주면 실수를 저지르지 않을까 기대했어요. 수면제를 먹인 것도 전날 밤에 나쓰키가 시끄럽게 굴었기 때문이에요. 혼자 조용히 작업하고 싶었을 뿐이라고요."

억지로 토하듯 목소리를 냈다. 이제는 자백할 수밖에 없다. 나는 나쓰키의 스마트폰에 손을 댔고, 사건 전날 나쓰키에게 수면제를 먹였다. 그래서 나쓰키는 사고를 당했다. 나쓰키를 그렇게 만든 사람은 나다.

"하지만 절대 그날 걔를 플랫폼에서 밀치지는 않았어요. 전 11일만을 고대하며 기다렸으니까요."

"고대라."

경멸받을 각오는 돼 있었다. 저지르지도 않은 살인 미수의 범인이 되는 것보다야 낫다. 게다가 나는 나쓰키에게 복수하려는 것 자체는 내 정당한 권리였다고 지금도 생각하고 있다. 나는 피해자다. 그 점에서만큼 내 잘못은 없다.

형사가 다시 내민 스마트폰을 마치 불덩이를 받는 것 마냥 벌벌 떨면서 받아 들었다. 내 말을 다 이해했을까.

"네가 스케줄 애플리케이션을 설정한 것과 수면제를 먹였다는 건 알겠어. 하지만 그렇다고 네가 개를 밀치지 않은 게 되지는 않아."

반사적으로 고개를 번쩍 들었다. 가노는 편하게 턱을 괴고 홍차를 한 모금 마셨다.

"조금 전에 내가 말한 대로 네가 나쓰키의 1일 약속을 몰랐다는 걸 증명할 수 없고, 외출하는 개 뒤를 쫓았을 수도 있어. 물론 아파트 입구 방범 카메라에 네가 나가는 영상은 찍히지 않았지만 사각지대가 있을지도 모르지."

"말도 안 돼……."

"오히려 네게는 살의가 있었다는 게 증명됐다고도 할

수 있어."

"아니에요!"

무심코 엉거주춤 일어서서 소리쳤다.

"1월 1일 오전 9시에 전 제 방에서 자고 있었어요. 아파트 방범 카메라 영상만으로 믿지 못하겠다면 역이나 거리에 나가서 조사해 보세요!"

순간 정적이 깔렸다. 고작 3초 남짓의 짧은 침묵이었지만 묘하게 부자연스럽고도 농밀한 시간이었다. 두 형사가 서로 눈빛을 주고받는다.

"오전 9시?"

가노가 천천히 내가 한 말을 되짚는다.

"왜 오전 9시지?"

나는 당황해서 머뭇거렸다. 무슨 소리를 하는 걸까.

"그 시간이 나쓰키가 선로에 떨어진 시간이잖아요. 9시에 표시된 '널 죽일 거야'라는 문장을 보고 놀라서……."

다른 사람에게 몸을 부딪혀서 떨어졌다고 나는 생각하고 있다. 그러나 경찰은 누군가가 밀쳐서 떨어졌다고 한다.

"오전 9시 30분."

"네?"

"나쓰키가 선로에 떨어진 시간 말이야. 네 말대로 나쓰키가 스케줄 앱의 알림을 본 시간은 9시였어. 네가 그렇게 설정했으니까. 하지만 나쓰키가 선로에 떨어진 건 그로부터 30분이 지나서야."

가노의 목소리에서 장난기가 사라졌다. 연기하는 것 같지도 않다.

"본인은 인정하지 않았지만 스마트폰에 불쑥 표시된 문장을 보고 충격을 받은 나쓰키는 그 뒤로 30분 동안 역 안 벤치에 앉아 휴식을 취했어. 아마 그사이에 네가 이 일을 꾸몄다고 깨달았겠지. 이후 걔는 목적지와는 반대 방향 플랫폼으로 갔어. 나쓰키는 기분이 상해 돌아가려고 했을 뿐이라고 했다더군. 누군가가 걔를 밀친 게 바로 이때야."

그러고 보니 형사들이 지금껏 시간을 한 번도 입에 담지 않은 것을 뒤늦게 깨달았다. 어쩌면 선로에 떨어진 시간은 뉴스에 보도됐을지 모르지만 스마트폰에 표시된 문장을 보고 바로 떨어졌을 거라고만 생각해서 유심히 확인하지 않았다.

"우리도 이 시간차가 계속 의아하기는 했어. 사건 발생 시각을 잘못 알고 있는 네가 나쓰키를 밀친 범인이라고 하기는 어렵겠지. 이 모든 게 만약 연기였다면 그야말로 연기 대상 수상감이지만 그렇지도 않을 거야. 이래 봬도 내가 사람 보는 눈이 좀 있거든. 학창 시절에는 연극을 하기도 했고."

살인 미수 혐의를 벗었다고 이해하기까지 시간이 조금 걸렸다. 안심하기는 했지만 기쁨이 샘솟지는 않는다. 내가 저지른 짓들은 모두 털어놓고 말았다.

날씨는 거의 봄 날씨다. 창문을 통해 들어오는 부드러운 햇빛을 멍하니 바라봤다. 물밑에서 하늘을 올려다보는 것처럼. 봄부터 일하게 될 회사를 떠올린다. 아버지와 어머니, 동생 겐스케의 얼굴도 떠올린다. 그리고 예쁘게 썬 꽃 모양 당근.

몸을 일으킨 나는 판화 앞으로 가서 벽에 세워 둔 그림들을 정면에서 봤다. 무의식중에 앞으로 뻗은 손이 엇나가서 가장 큰 그림 하나가 앞으로 쓰러졌다. 모든 정성을 쏟아 완성한 만족스러운 작품인데도 왠지 다시 세우고 싶지 않았다.

가노가 대신 손을 내밀기에 "만지지 마세요" 하고 제지했다. 생각했던 것보다 낮고 날카로운 목소리가 나왔다. 이런 사람이 내 작품을 만지게 하고 싶지 않다.

가노가 항복이라는 것처럼 두 손을 위로 번쩍 들었다.

"방금 네 얼굴, 가즈사가 있었다면 아마 바로 그림으로 그렸을 것 같은데."

가즈사? 느닷없이 등장한 이름을 듣고 당황했다.

그러고 보니 형사가 작업실에서 크로키 북을 봤다고 했나. 내게도 보겠냐고 물었지만 그때는 그럴 때가 아니었다.

"모르고 있었나? 걔가 널 그렸다는 거. 유독 얼굴만 여러 장을 그렸더군."

"네? 왜 절……."

"나도 물어봤어. 스케치북을 휙휙 넘겼더니 중간쯤부터 갑자기 네 얼굴만 잔뜩 나왔으니까. 가즈사는 이렇게 대답하더라. '미호가 흥미로운 표정을 짓기 시작했거든요'라고."

순간 섬뜩해져서 손으로 위팔을 문질렀다. 다친 나쓰키의 얼굴을 그리던 가즈사의 모습이 머릿속에 되살아난다.

"어둠 속에서 의기양양하게 미소 짓는 것처럼 보이는 웃는 얼굴. 얼굴 오른쪽 절반과 왼쪽 절반이 서로 다른 표정. 혼란과 불안을 피부밑에 쑤셔 넣은 듯한 무표정.

역시 예술가의 눈썰미는 대단하다니까. 넌 어느 시점부터 가즈사의 눈에 다르게 비치기 시작한 거야. 아마 나쓰키의 스마트폰을 손대고 난 다음부터였겠지."

싸이코. 그리고, 천재.

팔을 아래로 축 늘어뜨린 내 눈앞에 내가 그린 판화가 쓰러져 있다.

하자쿠라의 핸드폰이 울렸다. 스마트폰이 아닌 폴더형 핸드폰이다.

통화를 마친 하자쿠라가 가노에게 귓속말을 했다. 가노는 눈꼬리를 살짝 올리며 잠시 고민하더니 나를 보고 입을 열었다.

"나시모토 히데야가 자수했다는군. 요네하라 나쓰키를 플랫폼에서 밀쳤다고."

"미안."

간신히 쥐어짠 듯한 목소리가 침대 쪽에서 들렸다. 옆에 있는 의자에서 잔뜩 긴장하고 있던 나는 화들짝 놀라 고개를 들었다.

병실에는 우리 둘뿐이다. 가즈사는 없다.

사건 이후 2주가 지나 나쓰키는 드디어 상반신을 일

으킬 수 있게 됐다. 그렇다고 해도 깁스나 붕대로 몸 이곳저곳 고정한 탓에 등에 갖다 댄 두꺼운 쿠션 없이는 자세를 유지하지 못한다. 다음 주에는 또 수술이 잡혔다고 들었다.

붕대로 절반이 가려진 얼굴에서 나는 무심코 눈을 돌렸다. 미안하다니. 그건 내가 할 말이다. 그래서 용기를 내어 이렇게 찾아왔는데.

"나시모토 이야기, 들었지……?"

고개를 숙이고 묻는 나쓰키의 질문에 응, 이라고만 대답했다. 그 일을 떠올리자 가슴이 조금 쓰렸다. 거의 접점도 없는데 호감을 남몰래 품어 올 정도로 순진하지는 않다. 그래도 가끔 그의 웃는 얼굴을 떠올리며 다시 만나고 싶다고 생각한 적은 있었다.

나쓰키가 침대 시트를 꾹 쥐었다. 전보다 야윈 손에 뼈 모양이 하얗게 올라온다. 마음을 가다듬는 것처럼 숨을 들이마시는 소리가 유난히 크게 들렸다.

"나시모토랑 학원을 같이 다녔다는 이야기는 했지? 그때부터 여러 번 사귀자고 했어. 거절하고 또 거절해도 끈질기게, 심지어 지금 사귀는 여자 친구가 있는데도 헤어지겠다고 하더라. 스토커처럼 졸졸 쫓아다닐 때도 있었고, 몰래 숨어 있다가 불쑥 나타나서 놀란 적도 있어. 대학생이 된 후부터는 빈도수가 줄었지만 그래도 문득 갑자기 떠올린 것처럼 다시 집적거리는 게 몸서리가 날 정도로 싫었어."

상상도 못한 고백이었다. 그렇게 숨김없이 활짝 웃던 사람이? 그런 산뜻한 흉상을 만든 사람이? 그가 나쓰키를 밀친 것이 밝혀졌는데도 여전히 조금은 믿기 어렵다. 그러나 생각해 보면 나쓰키는 나시모토를 별로 좋아하는 것 같지 않았고, 내게도 포기하는 게 좋을 거라고 했다. 그때는 나쓰키가 나를 지배하려고 그런 말을 한다고 믿었다.

"처음에는 정말로 날 좋아했을지도 모르지. 하지만 어느 순간 그냥 나처럼 멍청하고 세상 물정 모르는 여자를 쫓아다니며 괴롭히는 걸 즐겼던 것 같아. TV에서 봤는데 이번 사건을 저지른 것도 요즘 졸업 작품 때문에 스트레스를 많이 받아서였다고 하더라. 결국 내가 스트레스 배출구였던 셈이야. 쉽게 넘어올 것으로 예상한 여자가 계속 거절하니 화가 났을지도 모르지."

나쓰키의 신랄한 분석과 말투에 깜짝 놀랐다. 나시모토가 범인이고 그런 믿기 어려운 일면이 있었다는 사실보다 더.

"실제로 재작년 지진 이후부터는 나를 더 귀찮게 하기 시작했어. 12월 31일에는 내일 둘이 함께 신사에 가자고 했고. 내가 허락한 건 이번에야말로 확실히 매듭지어야겠다고 생각해서야. 이제 그만 좀 해. 두 번 다시 나한테 연락하지 마, 라고."

경찰 수사로 이미 밝혀진 사실이다. 나쓰키가 그날 기다리던 사람은 나시모토였다. 나시모토는 후지사와 역에서 자신도 열차를 갈아탈 때 나쓰키를 발견했지만 그녀가 다시 돌아가는 모습을 보고 충격을 받은 나머지 화가 나서 밀쳤다고 했다. 충격이라는 단어는 나시모토가 직접 입에 담은 말이고 나쓰키는 아마 다르게 생각할 것이다.

"아무한테도 그 이야기를 안 한 건 날 배려해서였어?"

"너도 싫잖아. 좋아하는 사람이 친구한테 집적거리는 상황이. 하지만 그 전날 밤에는 너무 불안해서 너한테 그만 투정을 부려 버렸어."

나쓰키의 목소리가 조금씩 떨리기 시작했다. 언제나 나를 화나게 하던, 내게 뭔가를 부탁할 때 나오는 우는 소리. 그러나 지금은 화가 나지 않았다.

숨을 한껏 들이마셨다.

"밀쳐 넘어진 것, 그리고 스케줄 앱 알림을 부인한 이유는 뭐야?"

둘 다 내가 한 짓으로 보고 날 감싸려고 그랬을 거라고 가노는 말했다. 나는 그럴 리 없다며 단박에 일축했다.

나쓰키의 가녀린 어깨가 한층 움츠러들더니 잠시 후 나쓰키는 기어들어 가는 목소리로 말했다.

"……미안."

그게 대답이었다. 가노의 해석이 맞았던 것이다. 나쓰키는 자기를 밀친 사람도 나라고 오해했고, 지금 그것을 사과하고 있다.

"미안할 거 없어. 그 앱은 실제로 내가 그렇게 했으니까."

죄를 저지른 사람은 나인데도 마치 나쓰키가 단죄당하는 사람처럼 고개 숙이고 있다.

"아아, 역시 그렇구나, 라고 생각했어. 네가 앱에 그런 걸 입력했다는 이야기를 들었을 때."

"역시?"

"네가 날 미워한다는 소리를 다른 사람한테 들은 적이 있어서."

가슴이 덜컥했다. 가노도 지적한 바 있지만 나는 친

구 앞에서 불만을 털어놓은 적이 있다. 가즈사처럼 예리한 관찰력을 지닌 아이라면 태도나 표정으로 알아챘을지도 모른다. 그러나 그게 나쓰키의 귀에도 들어갔을 줄이야.

"난 믿지 않았어. 아니, 믿고 싶지 않았어. 나는 널 친한 친구라고 생각했으니까. 내 친구들은 나와 비슷한 가정환경에서 자란 아이들이 대부분이어서 널 처음 만났을 때 내 또래 중에 이렇게 똑 부러지는 아이도 있구나 하고 감탄했어. 너처럼 되고 싶다고 바라기도 했고. 그리고 전부터 다른 아이들은 틈만 나면 나에게 구제불능이라고 했지만, 넌 그러지 않았잖아."

내가 착해서가 아니다. 처음에는 서로 데면데면해서 그런 말을 할 사이가 아니었고 중간부터는 말을 못 했을 뿐이다.

"난 널 정말 좋아해서 널 위해서라면 뭐든 해 주고 싶었어."

뺨을 타고 흐르는 나쓰키의 눈물을 나는 멍하니 쳐다봤다. 정말 그 모든 것들이 전부 나를 위해서였다는 말일까. 핑크살롱 아르바이트를 다른 사람에게 말하지 않은 것도. 함께 살며 월세를 대신 내준 것도. 내 옷 스타

일에 참견한 것도. 아버지의 연줄로 나를 회사에 넣어 준 것도. 내 앞에서 보여 준 웃는 얼굴과 들려준 말들이 전부 있는 그대로의 의미였다는 말일까. 그럼 내 비밀을 처음 알게 됐을 때 웃은 이유는? 그건 내 착각이었을까?

"하지만……."

입술이 덜덜 떨려서 말이 잘 이어지지 않는다.

"집안일은 전부 내게 떠맡겼잖아."

"그건 월세를 내지 않는 대신 그렇게라도 하지 않으면 오히려 상대가 불편할 수 있다고 들은 기억이 있어서."

"아무리 그래도 늦은 시간에 내게 요리를 시키거나 아침에 깨워 달라고 한 건."

"시험한 거였어. 내 투정을 전부 들어 주는구나. 날 싫어하지 않는구나, 라는 걸 확인하려고."

나쓰키가 눈을 꼭 감았다. 굵은 눈물방울이 뚝뚝 떨어져 얼굴을 덮은 붕대에 눈물 자국이 번진다.

"졸업 작품을 도와 달라고 한 것도?"

"네가 날 미워하면 도와줄 리 없다. 날 미워한다면 일부러 작품을 망칠 수도 있다. 하지만 넌 그러지 않았어. 그래서……."

날 미워하지 않는다. 그렇게 믿기 위해.

그렇다면 나쓰키가 내게 디자인과 친구 이야기를 하지 않은 것도 내가 모르는 이야기를 하면 기분이 상할 수 있다고 판단해서였나. 나쓰키 나름대로 다 나를 배려해서. 하지만 그건 잘못 판단한 것이다. 나는 그런 일로 화를 내지 않는다. 아니, 화내는 포인트는 전혀 다른 곳에 있었는데도.

"나, 짜증 나지?"

나쓰키의 물음이 그야말로 정곡을 찔러서 부정할 수 없었다.

"고등학교 때 사귀던 사람한테 들은 적이 있어. 너무 의존적이어서 짜증 난다고. 난 다른 사람과 거리를 두는 법을 잘 모른대. 그래, 몰라. 하지만 좋아하는 사람을 좋아한 것뿐이잖아. 그럼 안 돼?"

"그렇다고 자기를 죽이려고 한 상대까지 감싸는 건……."

나쓰키는 두 손을 붕대 위로 가져가 얼굴을 감쌌다.

"의심해서 정말 미안해. 누명을 씌우고 다시 감싸려고 하다니, 이런 바보가 또 어딨겠어. 이러니까 나시모토 같은 아이한테 휘둘리고……."

"그만해."

멋대로 입이 움직였다. 차갑고 날 선 내 목소리를 듣

고 스스로 맹렬하게 화가 치미는 것을 느꼈다. 나쓰키가 몸을 움찔하며 조심스레 나를 본다. 두려움 가득한 눈빛으로 열심히 내 안색을 살피고 있다. 그런 태도가 화를 더 부채질했다.

"자기를 바보 같다느니 멍청하다고 하는 네 그 말버릇, 정말 질색이야."

아무한테도 말 안 할게. 그 말이 순간 뇌리를 스쳤지만 나는 멈추지 않았다.

"그러면서 다른 사람은 자기를 미워하지 않았으면 한다고? 뭐야, 그게."

"미호……."

"배려한다면서 진심을 숨기고, 순수함을 가장한 무신경한 모습도 정말 싫어. 그 밖에도 싫은 점이 한두 가지가 아니야. 싫은 것투성이야. 그래. 난 네가 정말 싫어!"

툭 하고 시트 위에 뭔가가 떨어지는 소리가 들렸다. 나는 깜짝 놀라 눈가에 손을 가져갔다. 왜 내가 우는 걸까. 단숨에 말을 토해 낸 탓에 숨이 가쁘다. 머리가 뜨겁다.

이유도 모르고 나는 침대에 힘없이 놓인 나쓰키의 손 위에 내 손을 얹었다. 차갑게 굳은 나쓰키의 손은 아주 살짝 내 손을 거부하는 듯했다.

"하지만 나 자신은 더 싫어."

나쓰키가 당황하는 게 손을 통해 전달됐다. 얼굴을 볼 용기가 없어서 포갠 손을 내려다본다. 두 손이 꼭 닮았다. 뭔가를 만들기 위해 닳도록 쓴 도구. 크기도 비슷하지만 나쓰키의 손톱이 약간 더 길다.

"난 네 모든 걸 나쁘게 해석했어. 네 따스함과 배려는 어느 순간부터 보이지도 않았어. 네 마음을 제대로 이해하려고 한 적도 없어. 네가 한 말은 단 한마디도 믿지 않았어. 그렇게 난 너라는 사람을 내 마음대로 만들어 버리고 만 거야."

나 때문에 다친 것은 아니다. 그래도 나는 이 아이를 상처 입혔다. 보이지 않는 곳에, 어쩌면 더 깊은 상처를.

후지사와역에서 목적지와 반대 방향 플랫폼에 선 나쓰키는 나와 함께 사는 집으로 돌아가려고 했을까. 아니면 어디 다른 곳에 가려고 했을까.

용기 내어 고개를 들었다. 나쓰키도 조심스레 나를 봤다.

아아, 내가 싫어하는 이 눈빛. 난 역시 이 아이를 싫어하지만.

"미안해."

간신히 그 말을 입에 담았다. 난 비록 비겁하고 비뚤어졌지만 칠칠치 못한 나쓰키와는 다르니 훌쩍거리지 않고 똑똑히 말했다.

"미호……."

"또 운다. 짜증 나."

몸을 일으켜 창문을 열었다. 좋은 날씨다.

파란 하늘을 바라보며 문득 가즈사라면 어떻게 그릴지를 떠올렸다. 가즈사의 크로키 북에 그려진 나는 어떻게 생겼을까. 나쓰키도 다쳤을 때뿐만 아니라 평소부터 그려 왔을지 모른다. 어쩌면 나시모토도. 가즈사는 흥미롭다고 느낀 것은 무엇이든 그렸다. 나와 다르게 냉정할 정도로 객관적인 관찰력을 지녔다.

하지만 이제는 그 크로키 북을 볼 수 없다. 1월 10일 밤, 졸업 작품 전시회 전날 밤에 작업실이 통째로 불타 버렸으니까.

불탄 자리에서 검게 그을린 시신이 발견됐다. 가즈사였다. 얼마 후 하세쿠라 미키오 교수가 체포됐고, 그는 조사를 받는 도중 스스로 목숨을 끊었다.

천재와 천재 사이에 무슨 일이 있었을까. 평범한 사

람은 알 수 없다. 그 자상한 교수에게도 다른 얼굴이 있었을지 모른다. 가즈사는 분명 마지막 순간에 그 얼굴을 그리고 싶었으리라.

2012년 졸업 작품 전시회는 취소됐다. 가즈사의 유작이 된 추상화 세 장도 결국 세상의 빛을 보지 못한 채 재가 되었다. 완성된 그림이었을까. 그 그림에 담긴 무시무시한 정념의 의미를 나는 이따금 떠올린다. 그러나 역시 이해하지는 못한다.

솔직히 나는 가즈사의 죽음을 슬퍼해야 하는지도 알지 못했다. 천재와, 천재가 그린 최고 걸작에는 가장 어울리는 최후였을지도 모른다.

나쓰키가 "오늘은 따뜻하네"라고 했다.

나는 고개를 돌리지 않고 공기는 차다고 대답했다.

봄이 오려고 하고 있다.

# * 살로메의 유언 *

탁자 위에 엎드린 에밀리의 목덜미를 차가운 형광등 불빛이 비추고 있다. 움직임을 멈춘 지 10분은 지났을까. 아니면 고작 수십 초일까. 아이스티가 흘러 탁자 끝에서 뚝뚝 소리를 내며 떨어지고 있다. 얼음이 깨진 유리처럼 사방에 흩어져 있다.

나는 맞은편 의자에 깊숙이 앉아 길게 숨을 내쉬었다. 입술과 목이 떨려서 숨결까지 떨리고 있다. 몸을 움직일 수 있기까지 시간이 제법 걸렸다.

에밀리는 민소매 원피스를 입었다. 전에 내가 선물한 것이다. 어깨 아래로 드러난 하얀 팔이 아이스티에 젖어 앞으로 쭉 뻗어 있다. 꼭 나를 향해 뻗은 것처럼 보이기도 한다.

무심코 그 손목을 만졌다. 에밀리는 틀림없이 죽었다. 아이스티에 섞인 독이 그녀의 목숨을 앗아 간 것이다.

안경을 벗어 셔츠로 렌즈를 닦았다. 언제부터 생긴 버릇인지 냉정하게 뭔가를 떠올릴 때마다 늘 이렇게 한다.

안경을 다시 쓰고 맑아진 시야로 지금의 상황을 다시 반추하며 머릿속에 목록을 만들었다. 살인범이 살해 현장에서 해야 할 일 목록.

흉기를 회수한다. 내가 마신 잔을 씻어 정리한다. 머리카락이 떨어졌을 수 있는 바닥을 청소하고 지문이 묻었을 만한 곳을 닦는다. 에밀리의 스마트폰으로 SNS에 들어가 그럴싸한 글을 올린다. '지쳤어. 모두 미안해'. 흔적 제거와 유서 위조다.

작업을 얼추 마치고 주인을 잃은 집을 둘러봤다. 화이트 기조의 환한 색상으로 센스 있게 꾸몄다. 멋스러운 분위기를 해치지 않는 선에서 장식한 애니메이션 관련 상품과 포스터는 전부 에밀리가 성우로 출연한 작품의 것이다. 그중 하나인 '절대 영역 진선' 포스터에 자연스럽게 시선이 쏠렸다. 우타모리 에밀리는 이 작품에서 처음으로 큰 배역을 소화하고 이른바 아이돌 성우로 인기를 모으기 시작했다.

나무 선반 쪽으로 고개를 돌린다. 에밀리의 사진집과 인터뷰가 실린 잡지, 출연작 대본이 있다. 아무렇게나 꽂힌 라이트노벨과 만화책도 모두 자신이 출연한 작품의 원작일 것이다. 소년 취향의 라이트노벨 '절대 영역 전선' 시리즈 3권이 있고 '무서운 신부' 1권도 있다. 둘 다 작가는 다카기 카기, 즉 나다.

내 필명에서 시선을 돌리고 선반 앞으로 다가갔다. 여전히 떨리는 손을 쥐었다 폈다 하다가 책 틈새에 손가락을 집어넣고 그 안에 숨겨진 초소형 카메라를 살짝 끄집어냈다. 힘이 잘 들어가지 않는 엄지와 검지 사이에서 주사위 모양의 카메라가 도망치려는 것처럼 이리저리 움직였다.

빼려던 손이 책에 걸렸다. 곧장 다른 손을 갖다 댔지만 균형을 더 무너뜨리는 결과를 낳았다. 산사태가 일어난 것처럼 책들이 연이어 마룻바닥을 때리는 것을 나는 하릴없이 지켜보기만 했다. 멈추고 있던 숨을 내쉬고 떨림을 떨쳐 내듯 손을 세게 흔든다.

카메라를 여름용 재킷 주머니에 넣으려다가 그 안에 먼저 온 손님이 있다는 것을 떠올렸다. 가장 먼저 회수한 청산가리 잔여분이다. 카메라를 반대편 주머니에 넣고 양옆 주머니를 손으로 가볍게 누른다. 잘 부탁해, 하고 말을 거는 것처럼.

떨어진 책을 하나하나 손수건으로 닦고 원래대로 선반에 돌려놨다. 안경을 한 번 더 닦고 써서 집 안 전체를 확인한다.

에밀리의 아파트에서 나와 역으로 향하는 길에 발견한 공중전화 부스에서 외우고 있던 번호로 전화를 걸었다. 밤 11시가 지났지만 니키는 한 번에 전화를 받았다. 역시 그녀가 적임자다.

이야기를 다 들은 니키는 힘차게 말했다.

"맡겨 둬. 난 절대 배신 안 할 거니까."

"고마워. 그럼 오늘 밤 안에 보낼게."

전화를 끊고 한숨을 내쉰다.

괜찮다. 난 다 잘했다. 그리고 앞으로도 잘할 것이다.

9월 17일 오후에 인터폰이 울렸을 때 '드디어 왔다'라고 직감했다. 모니터를 보니 천연 대리석이 깔린 현관 로비에 촌스러운 양복을 입은 남녀가 서 있다. 날카로운 눈빛으로 카메라를 직시하는 40대 언저리의 여자와 뭔가 신기한 것처럼 연신 주변을 두리번거리는 퉁퉁한 청년.

"네. 누구시죠?"

그렇게 대답하자 두 사람은 가나가와 현경의 경찰수첩을 보이며 여자는 야마자키, 남자는 사무카와라고 자신들의 이름을 소개했다.

—오쿠보 교 씨 댁 맞나요? 필명은 다카기 카기 씨.

"네, 맞는데요."

—혹시 모리타 에밀리 씨를 아십니까?

야마자키는 또박또박하게 물었다. 옅지만 빈틈없는 화장이 그녀를 매력적으로 연출하기보다 엄격한 느낌을 강조하고 있다.

"그분한테 무슨 일이라도?"

—몇 가지 좀 여쭙고 싶은데 혹시 시간 괜찮으세요?

나는 현관 입구의 자물쇠를 해제했다. 엘리베이터로 36층까지 올라오는 시간을 재다가 문을 열고 복도에 얼굴을 내밀었다.

"몰골이 이래서 죄송합니다."

사무카와는 리넨 셔츠에 반바지를 입은 나를 부러운 것처럼 쳐다봤다. 오늘 유독 늦더위가 심해서인지 그는 벌게진 둥근 얼굴을 손수건으로 연신 닦고 있다.

신발 벗는 곳에 들어온 야마자키는 귀틀에 선 나를 웃음기 없는 얼굴로 올려다봤다. 누군가와 싸우고 있는 듯한 날카로운 눈매. 경찰이라는 직업만 봐도 삶이 안락하지는 않을 것이다. 성별을 떠나 캐릭터만으로 매력 있는 타입이다.

"바쁘신데 죄송합니다. 실은 모리타 에밀리 씨가 돌아가셨습니다."

"네?"

"우타모리 에밀리라는 예명으로 성우로 활동했다더군요. 어제 일하는 곳에 오지 않았고 연락도 안 돼서 매니저가 집을 찾았을 때 시신으로 발견됐습니다. 사망 시간은 13일 밤부터 14일 아침으로 추정됩니다."

"말도 안 돼. 그게 정말인가요? 대체 왜."

"음독에 의한 중독사입니다. 주변분들 말로는 요즘 인기 하락 때문에 고민했다더군요. 13일에는 우타모리 에밀리의 SNS 계정에 죽음을 암시하는 듯한 글을 올리기도 했습니다."

나는 곧장 스마트폰을 꺼내 그녀의 SNS에 접속했다. "이럴 수가" 하고 손으로 입을 가린다.

"자살인가요?"

"일단은 그렇게 추정합니다만 확인을 위해 가까운 분들에게 이야기를 듣고 다니는 중입니다. 협조해 주시겠어요?"

야마자키가 하는 말이 사실인지 태도로는 분간되지 않는다. 물론 내가 일을 잘 처리했다는 자신감은 있지만 백 퍼센트라고는 할 수 없다. 실제로는 타살 가능성을 의심하고 중요 참고인으로 나를 살피러 왔을 수도 있다. 오히려 의혹을 품지 않았다면 굳이 내가 사는 곳까지 찾아와서 이야기를 들을 필요가 있을까.

"그녀와 친하게 지낸 건 이미 오래전 일입니다. 지금은 전혀. 그래도 괜찮나요?"

야마자키가 "부탁드리겠습니다"라고 해서 10평쯤 되는 거실 겸 부엌으로 두 사람을 안내했다. 커다란 창문 너머로는 요코하마의 랜드마크인 호텔과 반짝이는 바다가 보인다. 사무카와가 환호성인지 한숨인지 모를 소리를 냈다.

"집이 좋네요."

"어차피 월세입니다. 아, 에어컨 온도 낮추셔도 됩니다."

두 사람을 소파로 안내하고 부엌에 가서 커피밀에 원두를 넣었다.

"과테말라로 괜찮으신가요? 집에 있는 게 이것밖에 없어서."

야마자키가 "괜찮습니다"라고 대답했다. 덴마크산 카우치 소파에 나란히 앉은 두 사람은 감탄한 것처럼 집 안을 두리번거리고 있지만 수상한 게 없는지 확인하고 있을 가능성도 있다.

세 사람 몫의 커피를 거실 탁자에 내려놓고 형사들의 맞은편 자리에 앉았다.

"오래 기다리셨죠? 시간은 좀 걸리지만 직접 내려 마시는 걸 좋아해서요."

사무카와는 흐음, 하고 잘 이해가 안 된다는 표정이다.

"취향이 확실하시네요. 집 안 인테리어도 세련되고 비싸 보이는 것들만 있고요. 저, 월세는 얼마쯤 됩니까?"

"별걸 다 물으시네요. 역시 형사님들이라 그런지 거침없이."

미소 지으며 액수를 알려 주자 사무카와는 허리를 뒤로 젖히며 놀랐다.

"아직 스물일곱 살이라고 하셨죠? 작가분들은 다 이

렇게 돈을 잘 버나요?"

"아, A급들이야 그렇겠죠. 전 운 좋게 데뷔작부터 인기를 얻었고 애니메이션도 히트해서."

"'절대 영역 전선' 말이죠?"

사무카와는 새삼 집 안을 다시 둘러보더니 문득 의아한 것처럼 말했다.

"그런데 책장이 안 보이네요. 작가 선생님들 집이라면 우선 벽을 가득 메운 책들이 떠오르는데."

"책장은 서재에 있습니다. 쉬는 곳에는 되도록 일과 관련된 건 놓지 않아요. 취미 용품들만."

사무카와는 "그렇군요" 하고 고개를 끄덕이고 만화 캐릭터 피규어가 있는 전용 진열장을 바라봤다. 자외선 차단 기능이 있고 조명과 뒷면에는 거울까지 달린 대형 진열장이다.

그 옆에는 여자의 두 팔을 본뜬 석고상이 있다. 크기도 정확히 성인 여성의 팔 정도다. 머리와 몸이 없이 팔만 있는 데다가 모양이 상당히 리얼해서 집에 초대한 여자가 한밤중에 비명을 지른 적도 있다.

아버지에게 물려받은 작품인데 작품명은 '살로메'라고 들었다. 오스카 와일드의 희곡이자 비어즐리의 삽

화로 유명한 그 살로메다. 왕녀 살로메는 예언자 요한이 자신의 구애를 거절하자 그의 목을 잘라서 입을 맞췄다. 이 석고 팔은 두 손으로 뭔가를 들고 있는 형태인데 아마도 절단된 머리 또는 머리를 얹은 쟁반일 것이다. 그러나 머리 조각상은 없다. 한때는 그 점이 이상해서 아버지에게 이유를 물은 적이 있지만 아버지의 대답은 더욱 기묘했다. '이건 살로메가 아니다'.

야마자키의 목소리를 듣고 다시 정신이 들었다.

"오쿠보 교 씨와 다카기 카기 씨, 둘 중 뭐로 불러 드릴까요?"

방심하면 안 된다. 형사들과의 대화에 집중해야 한다.

"좋으실 대로. 아, 그런데 에밀리 이야기를 할 거면 다카기 쪽이 낫겠네요. 에밀리는 절 카기라고 불렀으니까요. 저도 그 여자를 에밀리라고 불렀던 것 같고요."

모리타 에밀리가 아닌 우타모리 에밀리. 나는 줄곧 그녀를 그렇게 인식했다.

"그럼 다카기 씨. 말이 나온 김에 여쭙겠습니다. 저도 에밀리 씨라고 불러야겠네요. 그분과 예전에 사귀던 사이였나요?"

"그런 이야기는 누구한테 들으신 겁니까? 조금 전에

도 말씀드렸지만 이미 오래전 일입니다. 커피를 끓이면서 돌이켜보니 헤어진 지 벌써 1년이 넘었네요."

쓴웃음을 지으며 커피로 목을 축였다. 사무카와가 메모장과 펜을 든다.

"처음 알게 된 건 3년 전입니다. 제 '절대 영역 전선'이 애니메이션으로 만들어졌는데 작품 속 여러 여자 캐릭터 중 한 명을 연기한 사람이 바로 우타모리 에밀리였죠. 에밀리는 그 작품으로 일약 인기 성우의 반열에 올랐습니다. 노래 CD와 사진집도 내며 흔히 말하는 아이돌 성우가 된 겁니다."

에밀리는 당시 스무 살로 외모와 스타일 모두 남자들이 선호하는 타입이었다. 처음 만났을 때 달콤한 목소리로 "선생님" 하고 불렀을 때, 그리고 그 '선생님' 속에 숨은 약간의 교태를 느꼈을 때는 기분이 우쭐해졌다. 이 다카기 카기란 이름에 그런 가치가 있다고 느꼈다.

"얼마 지나지 않아 저희는 교제하기 시작했고 이렇다 할 갈등 없이 잘 지냈던 것 같습니다. 하지만 시간이 지날수록 뭔가 안 맞는 부분들이 생기기 시작했죠. 원래 연애의 끝이라는 건 대부분 그런 거 아니겠습니까?"

"그 뒤로 연락하신 적은?"

나는 "없습니다" 하고 거짓말을 했다. 아직도 땀을 흘리고 있는 사무카와가 야마자키를 힐끗 봤다.

"에밀리 씨에게서도 연락이 오지 않았나요?"

"안 왔습니다. 형사님은 예전 남자 친구에게 연락하십니까?"

야마자키는 내 질문에 대꾸하지 않았다. 약지에 심플한 디자인의 반지가 빛나고 있지만 이 무뚝뚝한 형사가 남편과 대화하는 모습이 좀처럼 상상되지 않는다. 표정을 읽기도 까다로운 상대다.

"다카기 씨의 '무서운 신부'라는 작품이 이제 곧 애니메이션화 된다더군요. 매니저에게 듣기로는 에밀리 씨가 그 작품의 주인공을 맡기를 원했다고 합니다. 지난달 초순 무렵에는 원작자에게 부탁해 보겠다고도 했다고."

"네……?"

나는 입을 다물었다. 예상한 것보다 조사를 확실히 한 듯하다. 역시 타살을 의심하고 있나. 그렇다면 에밀리의 통화 기록도 조사했을 것이다.

"왜 그러시죠?"

"아, 죄송합니다. 무심코 거짓말을 해 버렸네요. 별로 언급하고 싶지 않은 이야기라 저도 모르게 그만."

"에밀리 씨에게서 연락이 왔다는 뜻인가요?"

"네. 분명 지난달 초쯤에 에밀리에게서 전화가 걸려 왔습니다. 저더러 원작자로서 '무서운 신부' 주인공에 자기를 추천해 달라더군요, 에밀리가 요즘 인기 하락 때문에 고민했다고 하셨는데 별로 그런 느낌은 없었습니다. 여전히 목소리가 밝았으니까요. 이렇게 태연하게 나를 써먹는다고 생각했을 정도이니."

"승낙하셨나요?"

"아뇨. 제게는 캐스팅 권한이 없고 제게 따로 의향을 묻기는 하지만 별로 참견하지 않는 편입니다. 다카기 카기가 하는 일은 소설을 쓰는 것이고 애니메이션에 관한 건 애니메이션 전문가에게 맡기자는 게 제 기본적인 스탠스니까요. 에밀리도 그걸 알고 있었을 텐데."

집요하게 들러붙는 에밀리에게 화가 치밀어 일방적으로 전화를 끊었다. 그 후 인터넷에서 그녀를 검색하고 나서야 요즘 인기가 하락세인 것을 알게 됐다. 일반적인 아이돌과 마찬가지로 아이돌 성우의 세계도 변화가 빠르다. 우타모리 에밀리는 이미 끝났다는 인터넷 게시글을 보고 다소 동정심은 들었지만 역시 공과 사는 구분해야 한다고 생각했다.

"그 뒤로도 에밀리는 끈질기게 제게 연락했습니다. 때로는 정에 호소하고, 과거에 자기가 잘해 줬던 일화들을 꺼내기도 하며 주인공을 자기한테 맡겨 달라고 했죠. 제가 만약 이사하지 않았다면 이 집에도 찾아와 문 앞에 진을 치고 앉았을 겁니다. 딱 한 번만이라도 만나서 이야기하고 싶다고 애원하는 바람에 에밀리의 마음이 조금이라도 풀리면 괜찮을 것 같아 결국 만났습니다. 9월 13일에요."

에밀리가 죽은 날이다. 나는 "참 운도 지지리도 없죠" 하고 어깨를 움츠렸다. 야마자키의 표정은 가면을 쓴 것처럼 똑같지만 사무카와의 둥근 얼굴에서는 매정한 남자를 바라보는 듯한 비난 섞인 감정이 어렴풋이 느껴졌다.

"미나토미라이에 있는 '오로'라는 이탈리안 레스토랑에서 저녁을 먹었습니다. 야경이 예뻐서 제법 괜찮은 곳이죠. 맛도 그럭저럭 괜찮고요. 시간은 7시에 예약했고 가게를 나간 건 9시가 되기 전이었던 것 같네요."

사무카와가 펜을 바쁘게 움직였다. 확인하기는 쉬울 것이다. 에밀리는 외모도 눈에 띄니 굳이 예약 시간이나 신용카드 기록 등을 대조하지 않아도 우리를 기억하는 직원이 있을 것이다.

"전 거기서 문제의 그 일에 대해 이야기할 생각이었는데, 에밀리는 그러려고 온 게 아니었는지 제가 말을 꺼낼 때마다 화제를 바꾸더군요. 뭐, 옆 테이블과 간격이 좁았고 직원들도 자주 돌아다녀서 다른 사람 귀에 들어갈까 봐 신경 쓰이는 환경이기는 했습니다. 그래서 식사를 마치고 에밀리의 집에 가서 좀 더 이야기하기로 했습니다."

"에밀리 씨의 집에 가신 겁니까?"

"네."

모르는 척하고 있지만 이미 다 확인하지 않았을까. 에밀리가 사는 아파트 입구에는 방범 카메라가 있었다. 우리 두 사람이 들어가는 모습과 내가 혼자 나오는 모습이 전부 찍혔을 것이다.

경찰은 에밀리의 집을 조사해 시신의 최초 발견자가 아닌 다른 사람의 머리카락이나 지문이 나오지 않은 사실을 수상하게 여겼을 것이 분명하다. 그곳에는 심지어 에밀리의 것조차 없었다. 그러나 에밀리가 세상을 뜨기 전 자기가 살던 곳을 깨끗하게 청소했을 가능성도 있다.

"미리 말씀드리지만 에밀리가 절 데려간 겁니다. 제가

가고 싶다고 한 게 아니고요. 걸어서 갈 수 있는 거리였지만 에밀리는 걷기 힘든 샌들을 신고 있었고 저도 한시라도 빨리 대화를 끝마치고 싶어서 택시를 탔습니다."

야마자키는 혹시 필요할 수도 있다며 택시 회사를 물었지만 나는 기억나지 않는다며 고개를 저었다. 그러나 경찰은 이미 그것도 알고 있을지 모른다. 타살과 사건의 범인이 나일 가능성을 이들이 얼마나 의심하고 있는지 가늠할 수 없다.

"대화라고 해도 전 제 마음대로 배역을 정할 수는 없다는 말 외에 다른 할 말이 없었으니 에밀리가 일방적으로 대화를 끌고 갔습니다. 그런데 뭐, 도중부터는 울고 불며 아우성을 치는 바람에 거의 대화라고 할 수도 없게 됐지만."

"에밀리 씨가 흥분했다는 말씀이군요."

"네. 난리도 아니었죠. 처음 제게 전화할 때만 해도 정말 아무렇지 않았는데 이후부터는 감정 기복이 심해져서 제가 얼마나 애를 먹었는지요. 그런데 실제로 만나보니까 '아, 이 여자는 지금 병을 앓고 있구나'라는 걸 확실히 느끼게 됐습니다."

에밀리는 어릴 때부터 성우가 꿈이었고 일하는 태도

도 늘 진지하고 성실했다. 나무 선반에 있던 대본들은 하나같이 달달 외웠다는 것을 한눈에 봐도 알 수 있었다. 그랬던 만큼 잠깐 반짝하고 내리막길을 타는 자신의 현재 상황이 몹시 괴로웠을 것이다. 에밀리는 누가 봐도 정신적으로 무너져 있었다. 집 부엌에는 정신과에서 처방받은 듯한 약이 있었지만 제대로 복용했는지 의심스럽다. 그 역시 경찰이 당연히 파악하고 있을 것이다.

"그래서 꾹 참고 살살 달래 보기도 했습니다만, 끝이 없더군요. 결국 네가 아무리 그래 봐야 내 대답은 똑같을 거라고 선언하고 에밀리의 집에서 나갔습니다. 요코하마역을 향해 걸으며 손목시계를 보니 벌써 11시가 지나 있어서 시간 낭비를 했다며 후회한 기억이 있네요. 아, 그렇다고 저를 피도 눈물도 없는 인간으로 생각하지는 말아 주십쇼. 그때는 그런 일이 벌어질 줄은 꿈에도 몰랐으니까요."

"그럼 다카기 씨가 아파트를 나간 시간이 11시쯤이었겠네요. 우타모리 에밀리 씨의 SNS에 유서 같은 글이 올라온 시간은 오후 10시 50분이었습니다. 그 무렵 에밀리 씨는 스마트폰을 만지고 있었나요?"

즉시 대답하지 않는 나를 사무카와가 속을 떠보듯 지그시 바라봤다. 할 말을 고르는 시간을 벌기 위해 커피를 입에 가져갔다.

"……잘 기억이 안 나네요. 집을 나가기 직전쯤에는 에밀리가 들러붙는 게 짜증 나서 거의 고개를 돌리고 있기도 했고요. 제가 현관에서 신발을 신고 있을 때나 집을 나가 엘리베이터를 기다리고 있을 때 스마트폰을 만지고 있었을 수도 있겠네요. 엘리베이터를 꽤 오래 기다렸던 것 같으니까요."

"그럼 다카기 씨가 집에서 나갈 때 에밀리 씨는 어떤 모습이었습니까?"

"고개를 푹 숙인 채로 움직이지 않았습니다. 저도 그쯤에는 조금 심한 말을 하기도 했고요."

탁자에 엎드린 에밀리의 모습이 머릿속에 떠올랐다. 나를 향해 내민 것처럼 앞으로 뻗은 팔. 나는 등받이에 몸을 깊숙이 기댄 채 천장을 올려다봤다.

"아, 그런데 이러면 꼭 저 때문에 자살한 것 같잖습니까. 그러니까 별로 언급하고 싶지 않았던 겁니다. 듣기 좋을 만한 이야기가 아닐뿐더러 자책감도 생기고요. 무리한 부탁을 거절하며 갖은 고생을 한 것으로 모자라

십자가까지 짊어져야 한다니요. 이런 건 좀 심하지 않나요?"

"에밀리 씨가 요즘 주변에서 뭔가 갈등을 겪었다는 말은 안 했나요?"

"그런 이야기는 못 들었습니다. 아, 역시 제가 그렇게 만든 걸까요."

이로써 형사들의 질문이 끝났다. 사무카와의 표정으로 추측건대 나를 별로 믿는 것 같지 않다.

현관까지 두 사람을 배웅하고 거실 소파에 털썩 앉아 깊숙이 한숨을 내쉬었다. 오늘은 이걸로 됐다. 그 카메라가 발견되지 않는 한 문제 없을 것이고 카메라는 현재 니키의 손에 있다.

안경을 벗어 렌즈를 닦고 석고로 된 두 팔을 바라봤다. 나는 경찰 따위에게 지지 않는다. 시나리오를 다시 한번 점검할 필요가 있다.

우타모리 에밀리의 죽음은 언론의 조명을 받지 못했다. 그럭저럭 인기 있던 성우라고 해도 세간에서 말하는 인지도란 원래 그런 것이다. 소속 사무소가 비보를 전하고 인터넷에서 몇 번 언급되기는 했지만 SNS에 유서 같은 글이 올라오기도 해서 결국 자살로 결론 나고 금세 잊히는 것처럼 보였다. 실제로 일주일이 지나자 에밀리의 이름은 어디서도 찾아볼 수 없게 되었다.

느닷없이 가택 수색을 당한 건 그럴 때였다. 그날 아침 수사관 여러 명을 이끌고 나타난 야마자키는 내 눈앞에 수색 영장을 내밀었다. 예상한 바였다. 경찰은 에밀리의 죽음을 자살로 추정한다고 하면서 뒤에서는 역시 나를 몰래 의심하며 수사를 이어 오고 있었던 것이다.

수색은 거부할 수 없다. 일을 하기 전 커피를 끓이고 있었던 나는 엉거주춤하게 멈춰 서서 무례한 인간들이 집 안에 우르르 들어와 법이라는 이름의 폭력을 휘두르며 내 주거지와 작업장을 가차 없이 휘젓고 다니는 모습을 마른침을 삼키며 지켜볼 수밖에 없었다.

야마자키가 내게 "왜 그러세요?"라고 물은 것은 내가 어지간히 불안해 보여서였을 것이다. 정신을 차려 보니 나도 모르게 신고 있던 슬리퍼 발부리로 바닥을 툭툭 내려치고 있었다. 앉아 보기도 했지만 엉덩이가 근질거려 가만있을 수 없었다. 언제나 돼야 끝나는 걸까. 아직도 멀었을까.

수사관 한 명이 화장실로 향하는 모습을 보고 눈을 질

끈 감았다. 잠시 후 "찾았습니다!" 하는 우렁찬 목소리가 들렸다.

마침내 발견됐다. 화장실 변기 수조 안에 테이프로 붙여 둔 청산가리. 에밀리의 목숨을 앗아 간 독이다.

"다카기 카기 씨. 아니, 오쿠보 교 씨. 서까지 같이 가시죠."

야마자키가 냉랭하게 말했다. 나는 살인 사건의 피의자가 된 것이다.

사무카와가 "뭐가 웃기냐? 인마" 하고 나를 윽박질렀다. 태도가 사뭇 달라졌다.

멍청한 경찰들. 그렇게 생각하며 나도 모르게 웃음 짓고 있었던 것 같다.

얼마 지나지 않아 나는 체포됐다. 청산가리가 나온 시점에 이미 정해졌다고는 해도 실제로 체포되니 내가 처한 현실이 가슴에 절실히 와닿았다.

괜찮다. 문제없다. 경찰이 만든 시나리오에는 따르지 않을 것이다.

취조실에 앉은 나는 묵비로 일관했다. 48시간의 구속 만료 시간이 다가와 형사들도 초조해하고 안달하는 것이 훤히 보였다.

사무카와는 멍청하게도 언론이 낌새를 챘다는 소식을 내게 알려 줬다. 우타모리 에밀리의 죽음은 뉴스에 거의 나오지 않았지만 살인 사건, 게다가 그녀의 대표작 '절대 영역 전선'을 쓴 작가 다카기 카기가 용의자라면 마땅히 세간의 주목이 쏠릴 것이다.

"청산가리는 어떻게 입수한 겁니까?"

이미 질릴 정도로 많이 받은 질문이었다. 또다시 그길 물은 야마자키는 입가에 세로 주름이 움푹 파여 있다. 냉정했던 목소리에도 조금 날이 섰다.

"전에 증언해 주신 오쿠보 씨의 9월 13일 행동에 대해서는 CCTV 영상과 레스토랑 직원, 택시 운전사의 증언으로 대부분 확인했습니다. 하지만 에밀리 씨 집에서는 시신 발견자 외에 다른 사람의 머리카락이나 지문이 나오지 않았죠. 에밀리 씨 자신의 것과 그곳에 간 당신 것도요. 또 사망 추정 시간이 심야에서 새벽 사이인데 시신 발견 당시 현장의 불은 꺼져 있었습니다. 에밀리 씨의 죽음이 만약 자살이라면 청산가리의 즉효성을 고려해 에밀리 씨는 암흑 속에서 청산가리를 입에 넣은 셈이 됩니다. 이 두 가지 사실에 대해 어떻게 생각하시죠?"

이 역시 여러 번 들은 이야기다. 에밀리의 집을 청소하고 불을 끈 사람은 나지만, 그걸 털어놓을 마음은 없다.

“묵비로 일관하는 건 아버지를 따라 하시는 건가요? 오쿠보 교 씨, 아니, 하세쿠라 교 씨.”

아버지의 사망 후 정식 절차를 밟아 어머니의 성을 물려받았을 뿐인데 마치 내가 가명을 쓴 것처럼 말하고 있다. 이렇게 아버지 일을 다시 꺼내는 것도 몇 번째일까. 질 낮은 도발이다.

5년 전이었다. 내가 대학교 4학년 때 아버지가 체포됐다. 교수로 일한 가미쿠라 미술 대학에서 지도하던 여학생 요시다 가즈사를 살해하고 그녀가 있던 작업실과 시신을 통째로 불태웠다고 한다.

아버지는 혐의를 부인했고 물증도 없었다. 오직 상황 증거만으로 체포한 것이다. 가혹한 수사가 이어졌고 묵비로 일관하던 아버지는 끝내 죽음으로 도피하는 길을 선택해 유치장에 깔려 있던 시트를 찢어 스스로 목을 맸다.

비보를 처음 들었던 당시 상황은 잘 기억나지 않는다. 아버지가 체포된 후 나는 휴학하고 본가에 내려와 있었다. 어렴풋한 어머니의 그림자가 다다미 위에서 떨리고 있었고 그 옆에 수화기가 떨어져 있었다. 집 밖에서는 트럭이 무슨 작업이라도 하는지 "후진합니다, 후진합니다" 하는 명랑한 안내 소리가 들렸다. 순간 웬일인지 트럭과 담장 사이에 끼어 버린 내 모습이 떠올라 온몸에 소름이 돋았다. 지금 돌이켜보면 그날 이후 우리 모자가 맞이할 운명을 그런 식으로 예측한 것일지도 모른다.

세상 사람들에게 하세쿠라 미키오는 자기 딸뻘인 제자를 추행하고 살해한 남자였다. 어머니는 그의 아내이고 나는 그의 아들이었다. 집 앞에 우르르 몰려온 기자들은 잘 알지도 못하면서 아버지를 경멸과 웃음거리로 만들었다. 친하게 지내던 사람들이 떠나갔고 친척들도 우리와 연을 끊었다. 거리를 걸으면 모두 우리를 차가운 눈초리로 쳐다봤고 뒤에서 수군거리는 것은 물론 근처 상점 중에는 우리에게 물건을 팔지 않는 가게도 있었다. 잔인한 말이 낙서로 새겨진 집 안에서 이를 꽉 깨물고 울던 어머니. 만약 더 늦게 이사했다면 정신건강에 심각한 문제가 생겼을 것이다. 나는 졸업에 필요한 학점을 대부분 취득해서 학교에 거의 가지 않고도 졸업은 할 수 있었다. 그러나 취직이 결정된 회사는 포기했다.

소설가라는 직업을 택한 이유 중 하나는 필명으로 일할 수 있다는 점이었다. 나는 늘 '그 범인의 아들'로 알려지는 상황을 두려워하며 살아왔다.

"무슨 말이라도 좀 해 보시죠, 하세쿠라 교 씨."

"……그럼."

나는 오랜만에 목소리를 냈다. 나를 하세쿠라 교라고 부를 거라면.

"가노 라이타 씨를 데려와 주세요."

"뭐라고요?"

아버지의 수사를 담당했던 형사의 이름을 입에 담았다.

"전에는 가나가와 현경에서 형사로 일했고 지금은 가미쿠라역 앞 파출소에서 근무하는 가노 라이타 씨요. 그 사람과 대화하고 싶습니다."

피비린내 나는 꿈을 꾸었다. 은색 접시에 실려 나오는 잘린 머리. 황홀하게 미소 지으며 그것을 기다리는 여자. 살로메다. 그녀는 신줏단지 모시듯 두 팔을 뻗어…….

—이건 살로메가 아니다.

아버지의 목소리에 퍼뜩 꿈에서 깼다.

고개를 가볍게 흔들며 앞머리가 제법 길었음을 깨달았다. 생각해 보니 미용실에 가지 않은 지 오래됐다.

나는 검찰 송치가 결정돼 구속 기간이 늘었다. 그러나 가노를 불러 달라는 내 요구가 이뤄질 기색은 없었고 형사들이 점차 여유를 잃어 가는 모습을 말없이 관찰하는 날만 이어졌다. 물론 쉽게 들어줄 리는 없다고 생각했다. 경찰과 인내심 싸움을 할 각오는 돼 있었다.

오늘도 같은 하루가 반복될 것으로 예상하고 있었던 덧에 취조실 안에서 나를 기다리는 그 남자를 처음 보고 깜짝 놀랐다. 가노는 아니다. 누가 봐도 나보다 나이가 어린 낯선 청년. 키가 크고 균형이 잘 잡힌 몸, 깔끔하고 온순해 보이는 느낌이 영리한 대형견을 연상케 했다.

"기나가와 현경 지역과 소속 쓰키오카라고 합니다. 가미쿠라역 앞 파출소에서 근무하고 있습니다."

가미쿠라역 앞 파출소. 가노의 부하라는 뜻일까.

쓰키오카는 정중하게 자신을 소개하고 미심쩍어하는 내 맞은편 자리에 앉았다. 파출소 순경이 피의자 수사를 맡는 건 극히 이례적인데도 원래 자기 자리에 앉은 것처럼 침착해 보인다. 개성 없는 싸구려 책상 위에는 수사 자료로 보이는 서류와 노트, 닫힌 노트북과 프린

터가 있다.

옆에 선 사람은 하자쿠라다. 아버지 사건 이후 인사 이동이 없었다면 아직 수사1과에 있을 것이다. 나이는 마흔을 넘긴 것처럼 보이고 강직한 군인을 연상케 하는 올곧은 자세와 약간 까다로워 보이는 인상이 전과 변함없다.

"전 가노 라이타 씨를 데려와 달라고 했는데요."

"대리로 제가 이야기를 들으러 왔습니다."

"대리라. 그럼 별로 말할 기분이 안 드네요. 아, 실제로는 저 매직미러 너머에서 저를 지켜보고 있으려나요?"

"왜 꼭 가노 씨여야 하죠?"

"가노 라이타 씨를 만나 보고 싶습니다. 사람을 죽인 형사. 그리고 그의 손에 살해된 사람은 제 아버지. 작가로서 이보다 더 흥미로운 소재가 있을까요?"

두 경찰의 얼굴을 차례대로 번갈아 보며 싱긋 웃어 보였다. 하자쿠라는 인상을 썼지만 쓰키오카의 표정에는 변함이 없다. 나는 얼굴에서 미소를 지우고 쓰키오카를 봤다.

"5년 전 사건을 아십니까?"

"가미쿠라 미술 대학에서 발생한 살인 사건의 피의자

하세쿠라 미키오 씨가 스스로 목숨을 끊은 일을 말씀하시는 거겠죠. 당시에는 아직 학생이었던 탓에 뉴스에 보도된 수준으로만 압니다."

"즉 가노 씨의 가혹한 수사 때문에 저희 아버지가 스스로 목을 맸다는 걸 아신다는 말씀이네요."

아버지는 범행을 부인한 탓에 담당 변호사 외에는 접견 금지 처분이 떨어졌다. 아버지를 맡은 인권 변호사가 분개하며 설명한 이야기에 따르면 초췌해진 아버지는 마치 영혼이 빠져나간 사람처럼 보였다고 한다. 이후 뉴스 보도를 통해 가혹하고 비인도적인 수사의 실태가 밝혀졌다. 매일매일 여덟 시간의 제한 시간을 꽉 채워서 공갈과 협박, 인신공격이 이어졌다. 몸이 좋지 않다고 호소해도 물 한 잔 주지 않았다. 사생활과 인권이 존재하지 않는 환경에서 몸과 마음 모두 한계에 내몰린 아버지는 결국 스스로 죽음을 선택했다.

유치장에서 취조실까지 오는 동안 수갑을 찬 손으로 목을 쓰다듬었다. 그곳에 시트를 찢어서 만든 끈이 파고드는 모습을 상상하며 이를 꽉 깨물었다. 내게 주어진 트레이닝복 목 부분을 손으로 꾹 쥔다. 나는 절대 지지 않는다.

나는 "아아" 하고 머리 뒤에서 손을 포갰다.

"가노 씨가 오지 않는 거라면 오늘도 묵비나 해야겠네요."

"그럼 잡담이라도 나눌까요?"

예상치 못한 반응이었다. 전혀 동요하는 낌새가 없는 쓰키오카를 하자쿠라도 놀란 것처럼 바라봤다.

"다카기 카기 씨가 쓴 작품들을 읽어 봤습니다."

"……감사합니다. 어떤 걸?"

"'절대 영역 전선' 시리즈 총 12권과 '무서운 신부' 시리즈 5권까지."

즉 전부 읽었다는 말이다. 쓰키오카가 조사를 맡기로 정해진 게 얼마 안 됐을 테니 그 짧은 기간에 총 열일곱 권. 페이지 수가 많지 않다고 해도 전부 읽기가 쉽지는 않았을 것이다. 무심코 쓰키오카를 뚫어지게 쳐다봤다. 겉보기보다 더 성실한 사람인 듯하다.

마음을 가다듬고 비웃는 것처럼 고개를 갸웃했다.

"그래서, 조사에 도움 될 만한 거라도 나왔습니까?"

"네, 그럭저럭."

"작품을 통해서 작가의 인간성을 파악하고자 하셨다면, 이런 말씀 드리기 뭐하지만 아주 얄팍한 발상입니다.”

“유념하겠습니다. 그래도 이렇게 다카기 씨의 생각을 듣거나 반응을 접할 계기는 된 것 같네요. 설마 제가 모든 책을 읽고 올 줄은 예상 못 하셨나요?”

“……청소년을 대상으로 쓴 책이니.”

“재미있었습니다.”

미소 짓는 쓰키오카를 보며 속으로 이해했다. 가노의 부하다. 극히 이례적이기는 해도 이 자리에 앉을 자격을 갖췄다는 뜻이다. 내 어디를 어떻게 관찰할지 모르니 손가락 하나 움직이기도 신경 쓰인다. 간이 의자에 묶인 포승줄이 새삼 의식됐다.

쓰키오카는 책에 대한 감상을 잠시 늘어놓다가 뜬금없이 내게 화과자를 좋아하느냐고 물었다. 그의 본가에서 전통 과자점을 한다고 했다. 배낭 하나 메고 외국을 돌아다니는 게 취미였지만 경찰 일을 시작하고 새 취미를 찾아야 했다고도 했다. 그런 잡담 하나하나에 나는 온 신경을 기울여서 주의 깊게 반응했다. 그는 불현듯, 또는 넌지시 사건에 관한 이야기를 끼워 넣기도 했지만 그런 화제에는 전부 침묵으로 일관했다.

경찰 입장에서는 헛수고만 한 하루였을 것이다. 그

러나 쓰키오카는 기죽거나 초조해하는 기색 없이 그다음 날에도 나를 찾아와 잡담을 시작했다. 하자쿠라는 시종일관 무뚝뚝한 표정이었지만 이 특별 조사관의 방식에 참견하지 않는 것을 보면 원래 그런 얼굴일지도 모른다.

"그런데 에밀리 씨의 사무소에서 들은 이야기인데요."

쓰키오카가 사건 이야기로 방향을 틀었다. 처음 대면한 어제는 나도 페이스를 살짝 잃을 뻔했지만 하룻밤이 지나서 마음의 준비를 단단히 했다.

"에밀리 씨는 당신에게 '무서운 신부'의 주인공 역할을 요구할 거라면서 동시에 이런 말도 했다더군요. '다카기 카기는 결국 내 말을 들을 수밖에 없어'라고."

체온이 훅 오르는 게 느껴졌다. 난 영문을 모르겠다는 표정을 지으며 눈빛으로 뒷이야기를 재촉했다.

"무슨 뜻인지 혹시 짚이는 게 있나요?"

"글쎄요. 예전 여자 친구로서의 자신감? 남자들은 흔히 과거의 연애를 미화해서 기억하는 경향이 있다고 하니까요. 사귈 때는 분명 그녀의 무리한 부탁을 곧잘 들어줬습니다."

"과거 당신과 교제한 분들께 여쭤보니 당신은 그런 분이 아니라는 쪽으로 의견이 모이던데요."

그런 사람들까지 찾아가 이야기를 듣고 왔다니. 나는 입술에 침을 한 번 묻히고 우습다는 듯이 말했다.

"예? 그럼 제가 나쁜 남자라도 된다는 말인가요? 뜻밖이네요. 뭐, 에밀리는 제게 특별했을지도 모릅니다. 연예인과 사귀는 건 처음이었고 남자들이 좋아할 만한 타입이기도 했으니까요. 쓰키오카 씨도 그런 취향이신가요?"

그러자 쓰키오카는 "아름다운 분이기는 하더군요" 하고 흘려 넘겼다.

"혹시 에밀리 씨에게 약점을 잡히거나 하지는 않았습니까?"

나는 미소를 얼굴에서 지우지 않았다.

"……약점?"

"5년 전 일 말입니다. 그러니까 당신이 범죄 피의자의 아들이라는 사실과 관련해."

"그건……."

"에밀리 씨는 한때 범죄 가해자의 가족을 다룬 다큐멘터리나 수기, 르포 등을 열심히 탐독한 시기가 있었다고 합니다. 그때가 바로 당신과 교제하던 시기와 겹칩니다."

생생하게 기억하고 있다. 당신의 힘이 돼 주고 싶어. 당신의 모든 것을 이해하고 싶어. 에밀리는 그렇게 말했다. 내가 본명보다 필명이 좋다고 하니 나를 카기라고 불러 주었다.

쓰키오카는 지시를 기다리는 충실한 맹견처럼 지그시 나를 바라보고 있다. 눈동자가 짙은 검은색이다. 나는 도망치듯 시선을 피하며 한숨을 내쉬었다.

"그런 이야기를 한 걸 지금도 후회하고 있습니다. 한창 연애에 빠졌을 때 어리석게도 제 입으로 비밀을 직접 털어놓고 만 겁니다. 나는 살인범의 아들이라고."

"아버님은 결국 피의자 사망이라는 형태로 검찰에 송치됐죠."

"그건 곧 경찰에 의해 범인으로 낙인찍혔다는 뜻입니다. 사망자는 재판을 받지 못하니 진실이 어땠는지는 알 수도 없죠. 죽은 자는 말이 없습니다. 본인이 아무리 부인하고 물증이 없어도 경찰과 여론은 이미 하세쿠라 미키오를 살인범으로 결론지었습니다."

"에밀리 씨가 그걸 이용해 당신을 협박했군요."

일보 후퇴다. 이제는 숨겨 봐야 소용없다. 나는 될 대로 되란 듯이 고개를 끄덕였다.

“맞습니다. 주인공 역할을 자기한테 주지 않으면 비밀을 폭로할 거다. 한마디로 그런 의미의 말을 표현만 바꿔 가며 저를 만날 때마다 했지요.”

“그게 언제부터였죠?”

“글쎄요. 두 번째 전화할 때 이미 그런 이야기를 들었던 것 같네요. 생각해 보면 자연스러운 흐름이었습니다. 하지만 그때는 멍청하게도 놀라고 당황하기만 했죠.”

저기, 카기. 성우의 달콤한 목소리가 지금도 귓가에 남아 있다. 우리, 평생 함께하기로 약속했지? 그런데 당신은 그렇게 잘나가고 난 지금 이렇게 지옥에 떨어져 있어. 카기, 부디 날 구해 줘. 당신이 있는 곳으로 날 끌어올려 줘. 그러지 않으면 당신이 내가 있는 곳으로 올 수밖에 없어. 평생 함께하기로 했으면서 이렇게 따로 떨어져 있는 건 이상하잖아. 그 일을 폭로하면 카기도 이쪽으로 오겠지? 저기, 쿄…….

그때 처음으로 살의라는 것을 느꼈다. 수화기 너머에 있는 여자의 목을 두 손으로 붙잡아 목소리와 함께 통째로 으스러뜨리고 싶었다.

“당신은 어떻게 대처하려고 했습니까?”

"죽일 수밖에 없겠다고 생각했습니다."

나는 빙긋 웃어 보였다. 쓰키오카의 표정은 변하지 않는다.

"그런 동기도 이미 예상하셨겠죠. 네, 인정하겠습니다. 제게는 분명 에밀리를 살해할 동기가 있습니다. 고백하자면 실제로도 살의를 품고 있었고요. 포기하고 이번에 요구를 들어줘도 그걸로 끝날 것 같지 않았으니까요. 에밀리는 언제, 무엇이든 제게 요구할 수 있었습니다."

아버지가 살인범인 이상. 내가 그의 아들인 이상.

"하지만 죽이지는 않았습니다. 어떻게든 설득해 봐야겠다고 생각했죠. 그날 밤에 만나서 대화하기로 한 겁니다. 그런데 제 생각이 얕았던 것 같습니다. 에밀리는 제 예상보다 더 병들어 있었고 마지막에는 절 위협하더군요. 비밀을 폭로하겠다느니, 이대로 죽어 버리겠다느니 하면서요."

"죽어 버리겠다?"

"평소에 전화로 푸념할 때도 자주 그런 말을 입에 담았습니다. 물론 진지하게 듣지는 않았죠. 사람이 진짜로 자살할 마음을 품으면 그냥 말없이 실천하는 법이니까요. 저희 아버지가 그랬던 것처럼. 그런데 에밀리가 정말로 자살했다면 그게 제 잘못일까요? 전 살인범인가요? 가노 씨와 마찬가지로?"

하자쿠라가 이맛살을 찌푸렸지만 쓰키오카는 도발에 응하지 않았다.

"그날 밤 말다툼을 했을 때 힘을 쓰거나 하지는 않았습니까?"

"제가 에밀리에게 폭력을 행사했다는 말인가요?"

"아니면 물건 같은 걸 집어 던졌다거나."

"없었습니다. 말이 험해지기는 했어도 그런 일은 없었어요."

"하지만 오후 11시 무렵 에밀리 씨 집에서 요란한 소리가 들렸다고 아랫집 주민이 증언했다더군요."

가슴이 철렁했다. 소형 카메라를 회수하려다가 실수로 책을 떨어뜨렸을 때 울린 소리일 것이다.

"옆집 아니었을까요? 보다시피 전 비리비리한 작가 나부랭이라 몸 쓰는 일에는 약합니다."

조금 머뭇거리다가 그렇게 말하고서 속으로 아차 싶었다. 에밀리가 뭔가에 대고 화풀이를 했다고 하면 끝날 일이었는데. 스스로 당황한 것을 자각하며 한숨을 내쉰다.

그 작은 실수를 끝으로 나는 또다시 묵비를 선택했다. 침묵의 시간이 흐를수록 몸은 서서히 여위어 갔다. 원래 체력에는 자신이 없으니 유치장 안에서 잠들고 수갑과 포승줄에 묶인 채 취조실에 끌려가는 일상은 꼭 가혹한 수사가 없더라도 고된 것이었다.

경찰은 내 살의를 암시하는 정보를 끝없이 물고 왔다. 나는 단골 바 주인 앞에서 "누가 대신 개를 좀 처리해 주면 재판 비용 정도는 흔쾌히 내 줄 텐데" 하고 한탄한 적이 있다. 작가들이 모인 자리에서도 꽁무니를 졸졸 쫓아다니는 정신 나간 여자를 없애 버리고 싶다고 했다. 가택 수색에서 압수한 컴퓨터에서 삭제 데이터를 복원하자 살인과 독극물, 경찰 수사에 관한 자료가 여럿 나왔다.

조금씩 착실하게 상황 증거가 쌓였다. 이제 궁지에 몰리는 건 시간문제다. 범행을 부인하는 내 말에는 그 누구도 귀 기울여 주지 않을 것이다.

기소라는 단어가 날이 갈수록 현실감을 띠었다. 상상하면 온몸이 부르르 떨렸다. 이제 곧 그날이 올 것이다.

그날은 취조실의 분위기가 달랐다. 마침내 때가 왔나. 입술을 꾹 다물고 취조실 안으로 발걸음을 내디뎠다.

방 안에 있는 세 명의 남자를 보고 나는 흠칫하고 멈춰 섰다. 쓰키오카와 하자쿠라, 그리고 또 한 명.

취조관 의자에 앉은 남자는 낯이 익었다. 입구를 등진 자리에 있지만 책상에 턱을 괴고 상반신만 비틀어 이쪽을 돌아보고 있다. 기억 속 모습보다 약간 나이 들었고 머리카락이 더 길었다.

"가노 라이타…… 당신이 왜 이곳에."

아버지 일로 많은 경찰이 징계를 당했고 조사를 맡았던 가노는 수사1과에서 지역과로 좌천됐다. 한 사람을 죽음으로 내몰았을 정도이니 징계에는 아마 그 밖에도 다른 원인이 있었을 것이다. 그가 배치된 파출소에 나는 딱 한 번 그의 얼굴을 보러 간 적이 있다. 다른 사람을 깔보는 듯한 뺀질뺀질한 얼굴에 경찰 제복이 전혀 어울리지 않았다.

"스스로 불러 놓고 왜냐니."

대답하는 얼굴에 웃음기는 없다. 구겨진 양복 재킷을 벗어 의자 등받이에 걸어 놓았다. 옆에는 쓰키오카가 서 있고, 하자쿠라는 내게 뭔가 할 말이 있는 듯한 얼굴로 취조실을 나가 버렸다. 이런 타이밍에 가노가 나타난 것을 보니 마침내 최후의 승리 선언을 할 작정일까.

그와 눈싸움을 하며 맞은편 자리에 앉았다. 안경을 벗고 트레이닝복 소매로 렌즈를 닦는다. 대여품이 아니라 의욕도 능력도 없어 보이는 변호사를 통해 어머니가 넣어 준 착용감 좋은 사제 트레이닝복이다.

"네 조서를 다 읽었어."

가노는 책상 위에 있는 서류를 집어 가볍게 흔들어 보였다.

"네가 범인이더군."

갑작스러운 선언에 나는 눈을 부릅떴다. 허를 찔린 충격 이후 한 박자 늦게 말이 머릿속을 파고든다.

가노는 네가 범인이라고 했다. 범인!

마침내 이날이 온 것이다. 나는 살인죄로 기소된다. 심장이 격렬하게 뛰었고 몸이 덜덜 떨리기 시작했다.

내가 이겼다!

책상 아래에서 주먹을 꾹 쥐었다. 이 순간을 얼마나 기다려 왔는가. 시나리오대로다. 경찰이 아닌 나의 시나리오. 나는 끓어오르는 희열을 억누르지 못하고 최대한 표정 관리를 하며 고개를 숙였다.

그때, 내 귀에 생각지도 못한 말이 꽂혔다.

"다만 살인죄가 아닌 업무 방해죄."

나는 용수철처럼 고개를 다시 번쩍 들었다. 무슨 말인지 이해 못 하고 가노의 얼굴을 뚫어지게 바라본다. 그의 얼굴에는 여전히 웃음기가 없고 오히려 우울한 기색이 엿보였다.

"이겼다고 생각했나?"

"……."

"여기 처음 들어올 때부터 그런 표정이더군."

식은땀이 흘렀다. 힘이 풀린 주먹에서 뭔가가 떨어지는 것 같아서 서둘러 다시 힘을 집어넣는다.

"대체 무슨 소리를……."

"넌 우타모리 에밀리, 즉 모리타 에밀리를 죽이지 않았어."

말문이 막혔다. 억지로 미소 지으려고 한 입가가 경련하듯 떨린다.

"에밀리의 목숨을 앗아 간 청산가리는 그녀가 직접 입수했을 가능성이 크다는 사실이 네가 체포된 이후 밝혀졌어. 에밀리는 8월 말 고향에 있는 친척을 찾아갔다더군. 바로 그 친척이 운영하는 공장이 업무에 쓰이는 청산가리를 취급하는데 관리가 허술했던 탓에 사라진 걸 아무도 눈치 못 챘다고 해."

에밀리의 고향이 어딘지 들은 것 같지만 기억나지 않는다. 분명 먼 시골이었을 것이다. 에밀리의 장례식도 그곳에서 치렀을까.

급격히 목이 말라 물을 요구했다. 쓰키오카가 취조실을 나갔다.

"그 일로 사라져 가던 자살설이 다시 급부상했지. 너도 독극물에 대해 조사한 듯하니 알겠지만, 청산가리에는 원래 특유의 맛과 향이 있어서 모르고 복용하기는 어려워. 만약 억지로 먹였다면 현장에 저항하며 몸싸움을 벌인 흔적이 남았겠지. 하지만 현장에 그런 흔적은 없었어. 그렇다고 해도 자살로 결론짓기에는 부자연스러운 점들이 몇 가지 있었지. 또 청산가리를 몰래 가지고 있었던 점 등에서 네 행동도 분명 수상했다고 할 수 있어. 동기와 상황 증거가 있어서 수사관들은 널 의심했어."

투박한 방 안에 가노의 담담한 목소리만 울려 퍼진다.

"우타모리 에밀리가 스스로 청산가리를 먹고 자살했다. 아니면 우타모리 에밀리가 입수한 청산가리로 네가 그녀를 죽였다. 두 가설 모두 일리가 있는 동시에 설명되지 않는 부분이 있지. 그러나 문제는 우리가 이미 널 체포해 버렸다는 점이야. 만약 우리가 잘못 판단했다면 오인 체포한 꼴이 되니."

가노는 책상 위에서 편하게 두 손을 깍지 끼고 있다. 오인 체포라는 단어를 입에 담을 때도 목소리에는 변화가 없었다.

"거기까지의 경위를 하자쿠라를 통해서 들었어. 네가 날 만나고 싶어 하고, 현경 쪽에서도 특례를 인정할 의사가 있다는 것도."

경찰은 어떻게든 내 입을 열려고 했다는 뜻일까. 그토록 무고한 피의자가 생길 가능성을 두려워한 걸까. 조롱거리다.

"얼마나 짜증 났는지 알아? 거절해도 거절해도 자꾸 들러붙어서."

가노는 뭉친 목 근육을 푸는 것처럼 손으로 주물럭거렸다.

"보다 못한 밋짱이 '제가 뭔가 도울 일은 없을까요?'라고 묻더군. 네가 날 지목한 이유가 이해 안 되는 것도 아니고 밋짱이라면 내 대리인으로 괜찮을 거라며 하자쿠라가 윗선과 합의했어. 아, 밋짱은 쓰키오카의 별명이야."

그때 마침 쓰키오카가 돌아왔다. 물컵을 받아들고 물을 벌컥벌컥 마셨다. 물이 조금 흘러서 손등으로 쓱 닦는다.

"밋짱이 너와 대화하는 동안 난 네 어머니를 만나고 왔어."

손에 든 컵에서 물이 찰랑 소리를 냈다.

"5년 전 아버지 사건 때는 만날 기회가 없었지만 우아한 분이더군. 도예가라고 했나?"

점토가 묻어 더러워진 손가락이 머릿속에 떠올랐다. 남편이 세상을 뜨자 고향인 시즈오카로 돌아가서 소규모 도예 교실을 운영하고 있다.

"어머니를 왜……."

"네가 날 만나고 싶어 하는 이유라면 아버지 사건과 연관됐을 게 뻔하잖아. 이번 일과 5년 전 사건은 확실히 관련도 있고."

쓰키오카가 나를 조사하는 동안 밖에서는 가노가 수사하고 다닌 걸까.

"하세쿠라 교. 넌 지금도 아버지 사건을 받아들이지 못하고 있겠지."

순간 불길 번지듯 분노가 싹텄다. 다른 사람도 아니라 이 사람의 입에서 이런 말을 듣다니.

"아버지를 아는 사람 중에 그 사건을 진정으로 이해하는 사람은 없을 겁니다."

"어머니는 이해하시던데. 남편이 죄를 저지른 것 자체는 사실일 거라고."

나는 코웃음을 쳤다.

"이해할 수밖에 없는 상황으로 내몬 건 아니고요? 갑작스럽게 범죄 가해자의 가족이 되는 바람에 어머니는 몸과 마음 모두 지쳐 있습니다."

"너희 어머니는 사건에 대해 당시에는 말하지 않았던 이야기도 들려줬어. 아버지와 요시다 가즈사의 관계."

요시다 가즈사. 아버지가 살해한 것으로 결론 난 피해자다. 가미쿠라 미술 대학 4학년 학생으로 아버지의 제자였다. 나도 가미대에 가끔 드나들어서 그녀의 빛나는 수상 이력을 알고 있었다. 괴짜라는 이야기도 자주 들었다.

"가즈사는 교수의 집을 몇 번인가 찾은 적이 있다더군. 하세쿠라 미키오의 자택에 있는 작업실에."

처음 듣는 이야기다. 그 당시 나는 혼자 살고 있었다.

"너희 어머니도 예술가라 확실히 다른 것 같아. 흥미로운 이야기를 해 주셨거든. 남편은 마치 그 아이에게 잡아먹히는 것 같았다고."

"그게 무슨 소립니까?"

"가즈사가 돌아가면 너희 아버지는 항상 입맛이 없다고 호소했다고 해. 체력과 기운 같은 인간이 살아갈 에너지를 모조리 그 아이에게 빼앗긴 사람처럼. 가즈사는 그토록 다른 사람에게 영향을 주는 존재였던 모양이야. 너희 어머니도 남편이 가즈사에게 특별한 감정을 품고 있었을 거라고 했어. 강하디강한 집착을."

"설마 그 말도 안 되는 헛소문을 입에 담으시려는 건 아니겠죠."

아버지와 요시다 가즈사가 불륜 관계였을 뿐 아니라 가즈사가 아버지의 아이를 임신했다는 소문이 사건 전부터 학교 안에 돌았다. 물론 임신은 사실이 아니었다.

"그것이 이성을 대하는 감정이었는지는 모르겠다고 말씀하시긴 했지."

"말도 안 됩니다. 그런 여자를."

학교에서 몇 번인가 마주쳤지만 늘 머리카락이 부스스했던 기억밖에 없다. 뉴스에 나온 사진에서는 평범한 외모와 창백한 얼굴, 뭔가 얼빠진 듯한 표정을 하고 있었다.

"실은 나도 다른 일로 걔를 만난 적이 있는데, 확실히 독특한 자기만의 세계가 있는 아이더군. 두 사람에게는 천재라고 불리는 예술가들끼리만 통하는 뭔가가 있었을지도 모르지. '제가 교수님을 완전하게 만들어요'. 가즈사는 네 어머니 앞에서 그렇게 말했다고 해. 즐거워서 어쩔 줄 모르겠다는 것처럼. 어머니는 그 말이 무슨 뜻인지 정확히 이해하지는 못했지만 그래도 이 아이라면 왠지 그럴지도 모르겠다고 생각했다더군."

나는 무심코 고개를 가로저었다.

"당시 경찰 조사를 받을 때도 처음에 이 이야기를 꺼내려 했다고 해. 하지만 어떤 말을 해도 이해받을 것 같지 않았다더군. 어떻게 표현해도 불륜, 치정 싸움 같은 단순화된 스토리에 끼워 맞춰지고 마는 거야. 그러니 포기하셨어. 어차피 달라질 건 없다. 남편이 그 아이를 죽인 사실은 변함없다고 생각하며."

나는 어머니와는 생각이 다르다. 물론 경찰과도 다르다.

아버지는, 하세쿠라 미키오는 요시다 가즈사 따위 발

끝에도 미치지 못하는 진정한 천재였다. 그리고 어떤 형태로든 다른 사람에게 집착하는 사람이 아니었다. 아마 어머니, 그리고 나보다 더 자기 안에 있는 예술혼을 사랑했다. 겉으로는 티 내지 않았지만 어린 시절부터 아버지를 보고 자란 나는 알고 있다. 또 그런 아버지와의 관계가 싫지 않았다.

재능이 조금 있었다고 하는 그 이상한 여자가 일방적으로 아버지를 따라다녔을 뿐이다. 아버지는 그 여자에게 강렬한 감정 따위 느끼지 않았다. 졸졸 쫓아다니니 귀찮았을 수는 있지만 그 정도로 과연 사람을 죽일까.

아버지에게는 가즈사를 죽일 동기가 없다. 동기 없이 타인을 죽이는 사람도 있다지만 내 아버지는 그런 사람이 아니다. 그러니 아버지는 가즈사를 죽이지 않았다. 나는 경찰을 믿지 않는다.

벌컥벌컥 소리를 내며 물을 마셨다. 어째서인지 마셔도 마셔도 목이 말랐다.

"어머니에게 부탁해 네 소지품들을 확인했어. 네가 어떤 사람인지 조금은 알 수 있을 거라고 판단해서. 아드님이 살인을 저지르지 않은 것을 밝히기 위한 수사라고 하니 적극적으로 협력해 주시더군."

깜짝 놀라 가노를 주시했다. 이사한 후 어머니가 사는 곳에 내 소지품이라고 해 봐야 거의 없겠지만, 설마.

"그런데 다카기 카기 씨는 인기가 정말 대단하더구만. 팬레터가 그렇게 쌓여 있을 줄이야."

무심코 심장을 움켜잡히는 것 같았다. 이상하리만치 긴 가노의 손가락이 내 급소를 향한다. 뿌리치고 싶은 마음을 꾹 참고 애써 평정심을 가장한다.

"제가 사는 아파트에 공간이 없어서 어머니께 조금 맡긴 겁니다."

"다 갖고 있나?"

"현재까지는."

"꾸준히 편지를 보내는 열혈 팬도 있더군. 보낸 사람 이름이 똑같은 편지를 여러 통 봤어."

어이가 없었다. 편지가 수백 통은 있었을 텐데 전부 확인한 걸까.

"이를테면 요시다 니키 씨."

반응하지 않으려고 해서 더 어색한 무표정이 됐을지 모른다. 내가 마신 물이 식은땀이 되어 등을 타고 흐른다. 경찰은 당연히 파악했을 것이다. 요시다 니키가 요시다 가즈사의 여동생이라는 사실을.

데뷔하고 얼마 안 돼 첫 팬레터를 받았을 때는 눈치채지 못했다. 몇 번인가 편지를 더 받고 요시다 가즈사와 이름이 비슷하다는 것을 깨달았다. 주소를 확인하니 가차 없는 뉴스 보도와 인터넷상의 제삼자들이 폭로한 요시다 가즈사의 본가 주소와 일치했다. 항상 슬픔을 안고 살았던 니키는 다카기 카기의 소설을 읽으며 용기를 얻었다고 편지에 썼다.

"요시다 니키에게서 온 편지는 총 여섯 통. 미안하지만 전부 읽었어. 니키에게 답장도 보냈다지? 그리고 서로 편지를 주고받는 동안 니키가 너에게, 다카기 카기에게 조금씩 마음을 여는 게 보이더군. 원래 팬이기도 했지만 너는 교묘하고 신중하게 그녀를 부추겼겠지. 니키는 자기 가족에게 일어난 비극과 심정을 천천히 털어놓기 시작했어."

언니를 살해한 진범은 따로 있을 것이다. 그 문장을 처음 읽었을 때 느낀 감동은 지금도 잊을 수 없다. 피해자의 여동생이 내 아버지가 범인이 아니라고 한 것이다.

나는 니키에게 메일 주소와 전화번호를 알려 줬다. 팬레터는 편집부에서 내용을 확인하니 사적인 소통 수단이 필요했다. 원래는 그 시점에 니키에게서 온 편지

들을 전부 처분해야 했다. 그러나 그러고 싶지 않았고, 나무를 숨기려면 숲속에 숨기라는 말처럼 다른 팬레터와 함께 어머니 집에 보냈다.

"니키도 이미 만나고 왔어. '어느덧 언니 나이가 돼 버렸네요'라고 하더군. 5년 전 사건 당시부터 니키는 하세쿠라 미키오가 범인이라는 결론에 회의적이었어."

당시 고등학생이던 니키는 사건이 일어나기 직전 언니 가즈사의 집에 놀러 갔다. 며칠을 그곳에서 묵으며 평소 가 보고 싶었던 아키하바라에도 갔다고 들었다.

—언니는 하세쿠라 미키오 교수님 이야기를 자주 했어요. 저는 언니가 하는 이야기를 대부분 이해하지 못했지만 교수님을 향한 마음만은 전해졌죠. 존경심이나 연애 같은 감정과 다르고 어떤 단어에 어울리는 감정인지는 모르겠지만, 어쨌든 교수님은 언니를 진정으로 이해하고 소중히 감싸 준다는 생각이 들었어요.

당시 일에 대해 니키는 내게도 그런 식으로 말했다. 그러니 하세쿠라 교수가 언니의 목숨을 앗아 갔다고는 믿을 수 없다고 했다. 하세쿠라 교수가 스스로 목숨을 끊고 경찰의 강압적인 수사 실태가 언론 보도로 드러나자 그런 믿음이 더 강해졌다고 한다.

그런 니키에게 다카기 카기가 하세쿠라 교라는 사실은 하늘의 계시나 마찬가지였을 것이다. 요시다 가즈사의 동생과 하세쿠라 미키오의 아들. 두 사람의 인생이 기적적으로 엮인 것으로 모자라 둘 다 같은 생각을 품고 있다. 니키는 신이 우리에게 진실을 알려 주려 한다고 느꼈다고 한다. 그 마음은 나도 잘 이해한다. 하세쿠라 미키오와 요시다 가즈사가 어떤 사람이고 두 사람이 어떤 관계였는지에 대해서는 해석이 엇갈렸지만 그것은 사소한 문제였다.

"좋은 공범을 찾았군."

그렇게 말하며 가노가 책상 위에 내려놓은 것을 보고 숨이 턱 막혔다. 비닐봉지에 든 주사위 모양의 초소형 카메라. 에밀리의 집 책 틈새에 숨겨 둔 것, 그날 밤의 모든 상황이 찍힌 카메라다. 회수해서 니키에게 맡겨 두고 있었다.

"사건이 일어난 날 밤 11시 무렵에 에밀리의 집에서 요란한 소리가 들렸다는 증언이 있었지. 그 이야기를 언급했을 때 네 모습이 평소와 조금 달랐다고 밋짱이 보고했어. 꼭 건들지 않았으면 하는 부분을 건든 것처럼."

그때 내가 당황한 것을 쓰키오카는 꿰뚫어 본 걸까.

"난 밋짱의 안목을 믿거든. 그래서 그 소리가 들렸다는 증언을 염두에 두고 다시 한번 에밀리의 집을 조사하니 책이 꽂힌 게 조금 달라진 걸 알게 됐지. 전에 그 집에 가 본 적이 있는 친구가 증언해 준 덕에."

"제가 갔을 때도 에밀리의 책장은 난장판이었습니다."

그러자 쓰키오카가 "아뇨" 하고 끼어들었다.

"'절대 영역 전선' 시리즈 중 3권만 있었던 걸 기억 못 하시나요? 표지 일러스트를 떠올려 주십시오."

갑자기 그렇게 말해도 바로 기억할 리 없다. 쓰키오카는 잠시 기다렸다가 약간 슬픈 듯한 눈빛으로 말을 이었다.

"라이트노벨이든 만화든 에밀리 씨는 자신이 연기한 캐릭터가 표지에 그려진 권만 선반에 꽂아 뒀습니다. 다른 권들은 수납 박스에 들어 있었죠. '무서운 신부' 1권도 선반에 있었는데 표지에는 그녀가 연기하고 싶어 한 여자 캐릭터가 그려져 있었습니다. 친구분이 말하기를 책을 꽂는 순서가 좋아하는 캐릭터 순이었다고 하네요."

정말로 머리가 돌아가지 않았다. 쓰키오카의 말을 듣고 뇌가 에밀리의 책장을 재현하려고 하지만 물밑에서 보는 풍경처럼 흐린 영상만 떠오른다. '절대 영역 전선'

과 '무서운 신부'가 어디 꽂혀 있었는지도 기억나지 않는다.

"안경알은 깨끗해."

가노가 내 눈가를 손으로 가리켰다. 난 무의식중에 안경을 벗으려던 손을 다시 내렸다.

"아무튼 그때 들린 소리는 책이 떨어진 소리였을 테고 시간은 11시쯤이었겠지. 네가 그 일이 언급되지 않기를 바라는 눈치였다고 하니 책을 떨어뜨린 사람은 너일 테고. 그 시간이라면 집을 나가기 직전이야. 그 무렵 에밀리는 울면서 발버둥을 쳤고 넌 그녀에게 거친 말을 쏟아 냈어. 설마 그런 상황에서 책을 읽으려 했을 리는 없고 넌 힘을 쓰거나 하지도 않았다지. 그렇다면 책을 왜 떨어뜨렸는가. 지문을 닦으려고 했나? 아니면 책 말고 다른 걸 집으려고 했나?"

단숨에 말을 토해 낸 가노가 소형 카메라가 든 비닐봉지를 눈높이까지 들어 올렸다.

"세상에 이렇게 작은 카메라가 존재하고 그것도 모자라 일반인이 손에 넣을 수 있을 줄이야. 이 아저씨는 역시 시대에 뒤처진다니까. 니키가 나한테 이걸 건넬 때 설마 카메라일 줄은 상상도 못 했으니."

"어떻게 니키가 갖고 있다고……."

"그저 가정을 쌓아 올렸을 뿐인데도 답이 나오더군. 네가 책장에서 뭔가를 들고 사라졌다면, 그리고 그걸 처분하지 않고 보관했다면 어디에 숨기는 게 가장 안전할지를 떠올렸어. 니키에게 넌지시 떠봤는데 운 좋게 들어맞았지."

"걔한테 무슨 짓을 한 겁니까?"

나는 길게 자란 앞머리 틈새로 가노를 노려봤다. 니키가 그렇게 쉽게 나를 배신했을 리 없다. 고문에 가까운 조사로 아버지를 자살로 몰고 간 것처럼 니키도 심하게 몰아붙였을 것이 분명하다.

"니키는 네가 이미 다 털어놓았다고 보고 체념했던데."

"니키를 속인 겁니까?"

"그럴 리 있나. 그렇게 들렸을지는 몰라도."

뻔뻔하게 지껄이는 가노에게 침을 뱉어 주고 싶었다. 강렬한 분노와 경멸이 뒤섞여 머릿속이 묘하게 식는다.

"촬영된 영상도 봤어. 에밀리가 자살하는 모습이 찍혔더군."

그날 밤 에밀리의 집에 들어간 나는 그녀가 아이스티를 내오는 틈을 타 소형 카메라를 설치했다. 유도 신문을 통해 에밀리가 성 상납을 하고 있다는 사실을 스스로 인정하게 할 요량이었다. 나도 그녀의 약점을 쥐면 협박에서 벗어날 수 있다고 판단했다.

설마 에밀리가 자살을 선택할 줄은 꿈에도 몰랐다. 마음의 병이 그녀를 그렇게 만들었는지, 성우로서 자신의 미래에 절망했는지, 아니면 자신을 버린 나에 대한 복수였는지는 지금도 알지 못한다. 나는 그저 경악하고 에밀리가 몸부림치며 죽어 가는 모습을 지켜보기만 했다.

그리고 그 계획을 떠올렸다.

가노가 카메라를 책상에 다시 내려놨다.

"넌 너 자신의 무죄를 증명할 수 있는 이 증거를 은폐했어."

"에밀리의 그런 최후를 다른 사람들에게 보여 주고 싶지 않았습니다."

"그럼 니키에게도 맡기지 않았겠지. 그대로 처분하면 그만이니까. 넌 이 영상이 필요했던 거야. 경찰의 오인 체포로 네가 살인범으로 기소된 이후에."

하나부터 열까지 전부 알아낸 셈이다. 내가 기소되면 니키가 카메라를 어머니의 집에 숨길 계획이었다. 그리고 나는 변호사를 통해 어머니에게 이렇게 전하려 했다. 실은 내 무죄를 입증할 증거가 어머니 집에 숨겨져 있다. 되도록 공개하고 싶지 않았고, 그걸 떠나 그런 게 없어도 난 살인 따위 저지르지 않았으니 금세 풀려날 거라고 예상했다. 경찰은 어머니의 집을 수색했을 수 있지만 그때는 발견하지 못한 증거가 그렇게 재판정에 등장하는 것이다.

"네 노림수는 경찰이 만들어 낸 무고한 피의자가 되는 거였어. 그리고 그 사실을 만천하에 드러내려고 했겠지. 그러니 에밀리의 자살을 타살로 연출하려고 한 거야. 범인이 살해 현장을 그대로 내버려 두는 건 부자연스러우니 자살로 위장한 것 같은 상황도 일부러 만들었겠지. 그리고 CCTV에 모습을 비춰서 네게 혐의가 쏠리도록 했어. 마지막으로 에밀리가 복용한 청산가리의 잔여분을 들고 집에 갔고 그대로 체포된 거야. 컴퓨터에 남은 험한 자료들과 사이트 열람 기록은 소설을 쓸 때 참고하려고 한 거겠지. 수사관이 이미 출판사 편집자에게 확인하고 왔어. 죽은 자를 업신여기는 듯한 발언을 하고 수사관 앞에서 도발적으로 군 것도 다 계획된 행동이었겠지. 경찰의 화를 돋워서 비인도적인 행위를 끌어내기 위한."

아버지와 아들 2대가 살인 사건의 무고한 피의자가 된다. 불행하기 짝이 없는 그 우연에는 당연히 세간의 주목이 쏠릴 것이다. 가나가와 현경의 거칠고 무도한 수사도 대대적으로 폭로된다. 정공법으로 호소하는 것보다 효과가 훨씬 클 것으로 예상했다. 5년 전 사건에 의문을 던지는 사람도 나올 것이다. 그를 그렇게 가혹하고 무리하게 조사한 것처럼 5년 전에도 그랬을 거라고. 담당 수사관이 그때와 같은 가노라면 더 좋았겠지만.

"밋짱은 어려운 상대였을 거야. 인내심이 강하다고 할까. 참는 걸 참는다고 생각하지 않는 타입이라."

"깜빡 속았네요."

나는 쓰키오카를 보며 웃었지만 자연스럽게 입가가 일그러졌을 수도 있다. 나를 흔들고 관찰하며 상사가 모든 것을 알아낼 때까지 시간을 벌었을 줄이야.

"오쿠보 교, 널 업무 방해죄로 다시 체포한다."

가노의 통보에 나는 냉소로 반응했다.

"당신들 경찰이 날 비난할 자격이나 있습니까?"

그 말을 입에 담은 순간 급격히 내장이 불타듯 분노가 치밀어 올랐다. 이번에는 얼굴 전체가 일그러지는 게 느껴졌다.

"5년 전 아버지가 돌아가신 후에 저와 어머니가 어떤 삶을 살았는지 알기나 해요?"

우리 일가에 쏟아진 표정, 집 담장 곳곳에 적힌 욕설, 야윈 어머니가 우는 모습이 눈꺼풀 안쪽에 칼날로 새긴 것처럼 또렷이 떠오른다.

"니키도 마찬가지였습니다."

피해자 유족 역시 가차 없는 뉴스 보도와 부조리한 비난의 대상이 되었다. 요시다 가즈사의 독특한 캐릭터와 부적절한 관계에 대한 소문이 원인이었을 것이다. 천재라는 평가에 우쭐해서 그런 짓을 저질렀다. 불륜 따위를 저질렀으니 그렇게 됐다. 그런 내용의 편지가 집에 도착했다고 한다. 자기가 진범이라고 하는 장난 전화까지 걸려 왔다. 가즈사가 태어나고 자란 집을 떠나고 싶지 않았던 유족은 집에 커튼을 치고, 우편함을 테이프로 봉인하고, 전화선을 뽑고 견딜 수밖에 없었다. 시간이 갈수록 강도가 줄어서 지금은 그런 움직임이 사라졌다고 하지만, 니키는 그런 지금의 상황조차 억울하고 분하다고 했다. 세상 사람들에게 그때 그 일은 한때의 자극적인 엔터테인먼트에 불과했던 것이다. 정작 사건의 당사자들은 아무것도 끝난 게 없는데도.

"이게 다 경찰이 사건을 제대로 해결하지 못해서 벌어진 일입니다. 피의자 사망으로 검찰에 송치해 끝이라니. 그렇게 인정된 사실은 다 상황 증거를 통해서 당신들이 끼워 맞춘 것에 지나지 않아요. 적어도 동기는, 마음의 문제는 피의자 본인의 말을 들어 봐야 하지 않나요? 저나 니키는 그걸 믿을 수 없었으니 하세쿠라 미키오가 범인이라는 사실 자체도 납득할 수 없었던 겁니다."

니키는 허공을 노려보며 "형사는 치정과 얽힌 갈등 때문일 거라고 했어요"라고 했다. 언니는 그렇게 알기 쉬운 사람이 아닌데 언니를 틀에 박힌 스토리에 끼워 맞추고 만족하는 경찰들을 믿을 수 없다고 했다.

"당신들 때문이에요. 이게 다 당신들 경찰의 잘못이라고요!"

내장이 불탄 열이 뇌까지 도달해 머릿속이 뱅글뱅글 돌았다. 눈도 깜빡이지 않고 가노를 노려보는데도 나 자신이 어떤 표정일지 알 수 없다.

"5년 전 사건의 진실을 밝히고 싶었나?"

나는 핫, 하고 비웃음 섞어 숨을 내뱉었다.

"이제 와서 진실이 밝혀질 거라곤 기대도 안 합니다.

전 그저 하세쿠라 미키오 범인설에 흠집 하나 낸 것으로 만족해요."

하세쿠라 미키오의 아들이라는 것이 세상에 알려지면 불합리한 비방과 중상이 쏟아질 것이다. 그 역시 각오하고 도박에 나섰다. 이겨도 부채를 떠안는 도박이지만 이대로 살아가는 것보다는 훨씬 나았다.

"아무리 노력하고 자타가 공인하는 성공을 거머쥐어도 나는 만족할 수 없다, 행복할 수 없다. 인간이 그런 걸 깨달았을 때 얼마나 절망스럽고 허무한지 당신들이 압니까?"

에밀리에게 협박당하면서 깨달았다. 나는 그저 당당히 살아가고 싶었다. 움츠리지 않고 떳떳이 얼굴을 드러내 본명으로 나서고 싶었다. 내가 거머쥔 성과를 남김없이 맛보고, 확실한 행복을 실감하고 싶었다. 살인범의 아들이 아닌 내 인생을 살고 싶었다.

호흡이 가빠진 것을 느끼고 입술을 깨물었다. 그걸로는 부족해서 턱뼈에서 소리가 날 만큼 이를 꽉 깨물었다. 경찰들이 침묵하는 모습을 보며 속이 부글부글 끓었다. 이렇게 말해도 아무것도 못 느끼는 건가. 아버지를 죽음으로 몰고 간 것처럼 이번에도 그저 말없이 흘려 넘길 작정인가.

문득 나 자신이 바보 같았다. 풍선에서 공기가 빠지는 것처럼 온몸의 힘이 쭉 빠진다. 뭘 이렇게 열 내고 있나. 애초에 이 녀석들 앞에서 내 심정을 토로할 생각도 없었는데. 이해할 리 없고, 이해받고 싶지도 않다.

나는 두 손을 책상 위에 올렸다. 업무 방해죄니 뭐니로 얼른 체포나 하기를 바랐다.

그렇게 말하려 했을 때 돌연 가노가 조용히, 그리고 깊숙이 고개를 숙였다.

"……미안하다."

귀를 의심했다. 지금 뭐라고? 숨을 멈춘 나를 향해 쓰키오카, 문밖에서 대기 중인 하자쿠라도 들어와 고개를 숙인다.

"네 아버지를 죽음으로 몰고 간 것, 그리고 피의자 사망이라는 형태로 사건을 종결한 것을 진심으로 사죄하마."

담담한 목소리였다. 감정을 싣지 않은 것 같기도, 억누른 것 같기도 하다. 지금껏 경박하고 가벼운 목소리만 들어서 나는 크게 당황했다. 눈앞에 펼쳐진 광경에 현실감이 없었다.

아무 말 못 하고 우두커니 있는 동안 경찰들이 다시 고개를 들었다.

"다만 요시다 가즈사를 살해한 사람은 하세쿠라 미키오 씨가 맞아."

어떻게 그렇게 단언하느냐고 묻기도 전에 가노는 책상 아래로 허리를 숙여 발밑에 둔 골판지 상자를 들어 올렸다.

"5년 전 수사 자료의 일부다."

책상 위에 박스를 내려놓는 소리가 심장에 울려 퍼졌다. 하자쿠라가 가노에게 뭔가를 말하려다가 만다. 의아해하는 내게서 가노는 시선을 피하지 않았다.

"미래가 창창한 스물두 살 여대생이 살해됐고 시신이 불태워졌지. 기름을 부어 태운 시신은 새까맣게 그을려서 생전 모습은 온데간데없이 사라졌어. 그녀의 유작이 된 그림도 결국 세상의 빛을 보지 못한 채 불타 사라졌고. 이 잔인한 범행을 해결하기 위해 우리 형사들은 전력을 다해 뛰었어. 상황 증거밖에 없지만 그것을 열 개, 백 개, 천 개를 쌓아 올리면 진실이 눈에 보일 거라고 믿고."

나는 천천히 상자 쪽으로 시선을 향했다. 아버지, 어머니, 니키의 얼굴이 머리를 스친다. 가쁜 숨을 억지로 깊이 들이마시고 허리를 일으켜 상자 안을 들여다본다.

하나로 묶은 사진 다발이 눈에 들어왔다. 요시다 가즈사의 생전 사진이다. 수수한 생김새에 부스스한 머리. 몸집이 작은 데다가 말랐고 피부가 창백하다. 조심스럽게 사진을 보다가 문득 깨달았다. 몸에 비해 팔이 유독 길다. 가슴이 두근거렸다. 사진을 넘기는 손의 움직임이 빨라진다.

"부지런히 발로 뛰어 수사의 99퍼센트를 달성한 우리는 마지막 1퍼센트를 놓쳤어. 그 1퍼센트를 난 실패하고 만 거야. 마지막 조사 이후 하세쿠라 미키오 씨는 뭔가를 중얼거렸어. '사라지는 건 나다'. 거의 들리지 않았지만, 아마도 그렇게 말하지 않았을까 추측해. 그것이 자살을 암시하는 말이었음을 일찍이 알아차려야 했어."

내 몸이 굳은 것을 형사들은 이상하게 생각하지 않는 듯하다. 눈길이 사진의 어느 한 곳에서 떠나지 않는 것도.

아, 그랬나. 아버지. 당신은…….

나는 사진을 다시 상자 안에 넣고 가노와 눈을 마주쳤다. 제법 오랫동안 호흡하지 않은 느낌이 들었다. 납덩이를 삼킨 것처럼 가슴이 무겁고 몸 안쪽이 찌릿거린다.

가노와 하자쿠라가 느끼는 죄의식은 거짓이 아닐 것

이다. 그리고 나는 그것으로부터 이들을 해방해 줄 수 있다.

아주 잠깐 망설였다. 그러나 역시 입을 열지 않기로 했다.

그대로 유치장에 돌아가기 전 손목에 다시 수갑이 걸렸을 때 쓰키오카가 변함없이 차분한 목소리로 말했다.

"다카기 카기 씨가 쓴 소설, 정말 재미있었습니다. 특히 자기 힘으로 일어서려는 모든 캐릭터들의 자세가 훌륭하더군요."

나는 취조실을 나가기 직전 발걸음을 멈추고 고개를 돌리지 않은 채 피식 웃음을 터뜨렸다.

"경찰들이 하는 말은 못 믿어요."

"자, 교수님."

나는 앞으로 내민 두 팔을 멍하니 내려다봤다. 정맥이 보일 정도로 창백한 나신. 요시다 가즈사는 알몸으로 나를 기다리고 있었다.

오늘 밤 최고 걸작이 완성될 거라며 가즈사는 나를 심야의 작업실로 불렀다. 그러나 벽에 세워 둔 세 장의 그림은 모두 완성된 것처럼 보였다. 적어도 내 눈은 그 안에서 더

손댈 부분을 찾지 못했다. 색채가 다른 세 장의 추상화가 표현하는 것은 저마다 다르고, 모두 같기도 하다. 사제애, 동지애, 연애라고 그녀는 말했다.

얼마나 오랫동안 그 자리에 서 있었을까. 나는 그림에 압도돼 있었다. 마치 뱀의 입에 통째로 삼켜진 것처럼. 온몸에 점막이 찰싹 달라붙어 아무것도 보이지 않고, 들리지 않고, 움직일 수도 없다. 오감을 모두 써서 뱀의 체내를 느낀다. 그것은 더없는 쾌감이자 무시무시한 공포였다. 내가 조금씩 녹아 사라진다. 지금껏 갈구해 온 이상의 아름다움에 휩싸인 채 나는 극치의 희열 속에서 죽어 간다.

한낮처럼 밝은 작업실 조명이 내 황홀과 절망을 비추고 있었다. 혹은 상찬과 질투, 사랑과 증오를.

"교수님이 하고 싶은 대로 하세요."

어느새 내 손에는 조각할 때 쓰는 쇠망치가 들려 있었다. 가즈사가 내게 건넸을지도 모른다. 작업대에 올라온 두 팔을 나는 멍하니 내려다봤다. 내가 하고 싶은 것. 내가 만들지 못하는 것을 만드는 이 손을, 나는.

자, 교수님. 가즈사의 목소리에 이끌리듯 나는 쇠망치를 내려쳤다. 한 번, 두 번. 부러진 뼈가 피부를 뚫고, 피투성이인 팔이 찌부러진 살덩어리로 변해도, 또다시.

가즈사는 두 팔을 앞으로 내민 채로 바닥에 주저앉아 억지로 목만 비틀어 나를 올려 봤다. 그 얼굴은 땀에 젖었고 두 눈에서는 생리적인 눈물이 흐르고 있다. 온몸이 들썩일 정도로 거친 호흡 탓에 시익, 시익 하고 거슬리는 소리가 들린다.

"이것 보세요, 교수님. 완성이에요."

가즈사는 웃고 있었다. 통증 때문인지 잘못 그린 스케치 같은 미소를 짓고 있다.

"제 졸업 작품으로 최고의 걸작. 주제는 교수님의 마음이에요. 사제애, 동지애, 연애…… 그리고 이것. 교수님이 제 손을 산산조각 냄으로써 비로소 이 작품이 완성된 거예요. 그리고, 교수님도."

내 손에서 쇠망치가 떨어졌다. 온몸의 털이 곤두서서 부들부들 떨고 있다. 세 장의 그림뿐만 아니라 손이 박살난 그녀와, 박살낸 나를 포함해 이 모든 것이 가즈사의 작품이라는 뜻일까.

가즈사는 내 마음을 꿰뚫어 보고 밖으로 드러냈다. 그렇다. 나는 알고 있었을 것이다. 그녀가 인간의 본질을 폭로하는 눈을 지녔음을. 그 엄청나고도 무시무시한 재능을. 나 자신도 폭로당할지 모른다며 속으로 남몰래 겁먹고 있지 않았을까. 이미 오래전부터 나는 뱀의 배 속에 있었던 것이다.

"교수님도 기쁘시죠? 둘이 함께 완성한 사랑의 결정이에요. 이걸 만들었으니 전 이제 아무것도 만들지 않아도 돼요. 전 지금 최고로 행복해요."

만면에 미소를 머금는다. 가슴속 깊이 만족하고 있음을 느꼈다.

불현듯 깨닫는다. 똑같이 천재라는 소리를 들어도 요시다 가즈사와 나는 전혀 다르다는 것을.

나는 가즈사의 목에 두 손을 갖다 댔다. 위에서 덮치는 자세로 체중을 실어, 목을 눌러 없앨 기세로 손에 온 힘을 담았다. 가즈사는 고통 때문에 몸부림치기도 했지만 저항하지 않았다.

숨을 헐떡이며 움직임을 멈춘 창백한 알몸을 내려다본다. 내 마음을 도려낸 팔. 부숴도 부숴도 마음을 휘어잡고 놓아 주지 않는다.

나는 창고에서 난로용 등유를 꺼내 시신에 뿌렸다. 특히 팔에는 듬뿍 뿌렸다. 세 장의 그림에도 뿌리지 않을 수 없다. 요시다 가즈사의 최후의 작품, 그리고 하세쿠라 미키오의 마음은 불타 사라지는 것이다.

그러나 화염에 휩싸인 작업실을 봤을 때 문득 떠올렸다.

이건 정말로 내 의지일까? 내 손에 목이 졸리면서도 가즈사는 저항하지 않았다. 그러기는커녕 웃고 있었던 것 같기도 하다. 살해당하고 불태워지는 것까지, 이 모든 게 그녀의 작품이라면…….

그날 이후 나는 내 작품을 하나하나 없앴다. 가즈사가 폭로한 하세쿠라 미키오라는 인간을 나는 혐오했다. 하세쿠라 미키오가 만든 작품을 보고 싶지 않았고, 다른 사람에게 보여 주고 싶지도 않았다.

그런 내 행동이 주변 사람들 눈에는 기이해 보였을 것이다. 실제로 나는 정신이 나갔을지도 모른다. 가즈사가 마지막으로 지은 미소가 눈에 새겨져서 지워지지 않았다. 그것은 추악한 동시에 더할 나위 없이 아름답기도 하다. 애태우면서 낮에도 밤에도 그녀를 떠올렸다.

체포되어 조사를 받을 때조차 그랬다. 내 마음은 이미 가즈사가 가져가 버렸다. 나는 영원히 요시다 가즈사의 작품의 일부이자 요시다 가즈사가 만든 세계에서만 살아갈 수 있다. 그곳에서 도망치고 싶은지, 그리고 그녀가 없는 이 세상을 전부 포기하고 싶은지 이제는 알 수 없다. 확실한 건 오직 하나다.

"살로메는 나다."

**살로메는 죽어야 한다.**

나는 키보드를 두드리는 손을 잠시 멈추고 가볍게 숨을 내쉬었다.

업무 방해죄로 체포됐지만 도주 우려가 없다는 이유로 얼마 안 돼 집에 돌려보내졌다. 기소 여부는 아직 알 수 없다. 살인죄로 오인 체포한 것에 대해서는 경찰이 사죄할 듯하다. 그러면 앞으로 내 주변이 다소 시끄러워질 수도 있다.

길게 자란 앞머리를 손으로 쓸며 커피를 끓이려고 부엌으로 향한다. 거실에 장식된 석고상이 눈에 들어와 발걸음을 멈췄다. 여자의 두 팔을 본뜬 작품의 이름은 '살로메'. 아버지가 만들어 내게 물려준 것이다.

사라지는 것은 나다. 가노에게 그 말을 들은 순간 나는 모든 것을 깨달았다. 취조실에서 본 요시다 가즈사의 사진에 해답이 있었다.

아버지는 이 '살로메'를 요시다 가즈사의 팔을 모델 삼아 만들었다. 요시다 가즈사의 팔을 만들고 거기에 '살로메'라고 이름 붙였다고 해야 할까. 내가 매일 보는 석고 팔과 사진에 찍힌 가즈사의 팔은 꼭 닮아 있었다. 길이와 두께, 팔꿈치와 손, 손가락, 손톱까지 실물을 그대로 굳힌 듯했다. 엄청난 시간을 들여 관찰하며 만들었을 것이다.

아버지에게 작품명을 처음 들었을 때 왜 팔뿐인지를 이해하지 못했다. 두 손으로 뭔가를 든 것 같은 형태인데도 잘려 나간 요한의 머리 상은 없다. 그것이 없으면 살로메인 줄 알 수 없을 텐데. 이유를 묻는 내게 아버지는 이렇게 말했다. 이것은 살로메가 아니라고.

당시에는 무슨 말인지 몰랐지만 지금은 알고 있다. 이 석고 팔은 살로메의 팔이 아니다. 살로메에게 바친, 가즈사의 팔. 살로메는 요한의 목이 아닌 요시다 가즈사의 팔을 원했다. 내가 만들지 못하는 것을 만들어 내는 사랑스럽고도 증오스러운 팔을. 살로메는 나다. 아버지는 스스로 목숨을 끊기 직전 분명 그렇게 중얼거렸을 것이다.

아버지의 마음을 가즈사는 꿰뚫고 있었다. 그리고 그날 밤, 스스로 아버지에게 팔을 바쳤다. 가즈사는 아버지에게 빠져 있었고 연애 감정을 공공연하게 말하고 다녔다고 한다. 졸업 작품에 대해 '나와 교수님의 사랑의 결정'이라 표현했다고 하고 어머니 앞에서는 '제가 교수님을 완전하게 만들어요'라고도 했다.

살로메가 요한의 목을 자른 것처럼, 아버지는 가즈사의 팔을 부쉈다. 가즈사의 시신은 사인도 특정되지 않을 만큼 새까맣게 그을려 있었지만 팔의 손상이 특히 심했다고 당시에 들은 기억이 있다. 팔에 특별한 집착이 있었으니 그렇게 됐다고 해석해도 무리는 없을 것이다.

사건 이후 아버지는 자신의 작품을 닥치는 대로 부숴 갔다. 주변에 있는데도 오직 하나 파괴를 면한 것이 바로 이 '살로메'다. 아버지는 실물인 가즈사의 팔을 부쉈다. 그런 상황에서 창작품이라고 해도 또다시 그녀의 팔을 부술 수는 없었던 게 아닐까.

희곡 속 살로메는 계부인 왕에게 처형된다. 그러나 일본 법률에서는 사람을 한 명 죽여도 사형당하는 일은 거의 없다. 그러니 아버지는 스스로 죽음을 선택한 것이다. 가노에게 살해된 것이 아니라 그저 자신의 마음에 따라 목숨을 바쳤을 뿐이다.

물론 이 모든 것은 내 상상에 불과하다. 가즈사의 그림이 실제로는 뭘 표현했는지조차 이제는 그 누구도 알지 못한다.

과테말라 커피를 끓이고 서재에 돌아가자 스마트폰

이 울리고 있었다. 이미 각오했으니 나는 망설임 없이 통화 버튼을 눌렀다.

"여어, 오랜만."

—오랜만이야. 좀 괜찮아? 경찰서에서 무슨 일이 있었는지 이제는 듣고 싶어서.

니키의 반가운 목소리를 들으며 나는 컴퓨터의 백스페이스키를 눌렀다. 상상으로 만들어 낸 아버지의 이야기가 사라져 간다.

나는 입을 열었다. 모니터의 하얀 빛 때문에 눈이 시렸다.

*

어디선가 금목서 향기가 풍긴다. 가노는 버스 정류장을 가르쳐 준 관광객을 손을 흔들어 보내고 향기가 풍긴 곳을 찾아 고개를 두리번거렸다. 쾌청하고 맑은 일요일 아침, 가미쿠라역 앞은 혼잡하다. 금목서는 보이지 않고 향기도 어느덧 구움과자 냄새에 휩쓸려 사라지고 말았다.

하세쿠라 미키오를 떠올리는 건 이런 순간이다. 경찰

이 수사상의 과실을 공식적으로 인정하지 않는 이상 유족에게 사죄할 수도 없다. 마침내 그 아들에게 사죄하기는 했지만 그것이 그에게 어떤 의미를 지니는지는 알 수 없다. 단순히 내 자기만족이었을지도 모른다.

오쿠보 교에게 전한 대로 하세쿠라 미키오가 진짜 범인이었냐고 물으면 맞는다고 단언할 수 있다. 그러나 그가 남긴 마지막 말의 의미는 아직도 밝혀지지 않았다. 그는 내 취조 때문에 고통을 느껴 목숨을 끊었을까. 내가 그를 죽였을까. 최근 5년간 아무리 고민해도 해답은 나오지 않았다.

"하자쿠라 형사님이 형사과로 오라고 합니다."

옆에 선 쓰키오카가 툭 내뱉었다. 금목서 향기가 나네요, 라고 말하는 듯한 말투다. 보아하니 얼굴은 역 쪽을 그대로 향한 채 오가는 사람들을 둘러보고 있다.

"도전해 보려고 합니다."

"오, 그거 좋군. 너라면 할 수 있을 거야."

"선배님은 돌아가실 생각 없나요? 그때 그 취조를 다룬 보도 내용에 과장이 많이 섞였다고 들었습니다. 전에 선배님의 수사를 받았던 수형자가 악의적으로 만들어 낸 날조까지 마치 사실인 것처럼 섞여서 세상에 알려졌다고.”

하자쿠라라면 몰라도 쓰키오카가 이런 말을 하는 것은 뜻밖이었다. 정이 아예 없지는 않지만 다른 사람 일에 별로 신경 쓰지 않는 타입이라고 여겼건만.

“안 가.”

하세쿠라 미키오를 취조한 방식은 적법했다고 인식하고 있다. 그러나 흉악 범죄자를 향한 강렬한 증오 때문에 그를 한계까지 몰아붙였다는 자각은 있다. 죽음에 해답은 나오지 않았지만, 해답이 나오지 않은 것 자체가 죄다. 게다가 이유가 뭐든 그를 상대하면서도 자살 의지를 눈치채지 못하고 죽음에 이르게 한 것은 사실이다. '나는 앞으로 또다시 사람을 죽이는 게 아닐까'라는 두려움과 맞서 싸우며 물 흘러가듯 경찰 일을 이어 가고 있다.

쓰키오카는 그 이상 말하지 않았다. 몸을 가노 쪽으로 돌리고 고개를 숙인다.

“다 선배님 덕분입니다.”

가노는 눈을 끔뻑이며 늘 그러듯 히죽 웃었다.

“그럼 근무 마치면 어디서 맛있는 거라도 사 와.”

그때 밑에서 “경찰 아저씨” 하는 작은 목소리가 들렸

다. 어린 여자아이가 당장에라도 울음을 터뜨릴 것 같은 얼굴로 위를 쳐다보고 있다.

가노는 그 자리에서 허리를 숙이고 앉아 빙긋 미소 지었다.

가미쿠라역 앞 파출소는 오늘도 분주하다.

## 옮긴이의 말

# 시나브로 봉오리가 움트는 봄꽃처럼

아는 분들은 아실 '형사 콜롬보'라는 유명한 미국 드라마가 있습니다. LA 경찰청 경위인 콜롬보가 살인 사건을 해결하는 수사물로서 독특하게도 모든 화의 도입부에 살인범이 누구인지 시청자에게 밝히고 콜롬보가 사건 수사 및 용의자를 물색 후 범인을 잡아내는 과정을 그리는 것이 특징입니다. 이는 '도서倒敍 추리', 풀어 쓰면 '도치 서술倒置敍述추리'라고 불리는 추리 소설의 여러 형식 중 하나인데, 탐정이 독자와 함께 범인을 찾아 나서고 말미에 "범인은 바로 너다!"라는 식의 대사와 함께 상상을 초월한 범인의 정체를 밝힌 후 막을 내리는 일반적인 추리 소설의 형식을 거꾸로 뒤집습니다. 즉, 작품 초입부터 사건의 범인이 “범인은 바로 나다!”라고 외치듯 등장해 독자에게 정체를 당당히 드러낸 후 탐정 캐릭터와 치열한 두뇌 싸움을 벌이는 과정을 즐기는 장르라고 할 수 있습니다. 이 도서 추리 형식의 추리 소설은 일반적인 형식에 비해 쓰기 어려운 것으로 알려졌는데, 무릇 추리 소설은 범인의 정체 자체가 큰 반전이자 즐길 거리인데도 그것을 처음부터 포기하고 탐정과 범인의 치열한 ‘두뇌 싸움’에 작품의 상당한 분량을 할애해야 하기 때문입니다. 또 그렇게 범인의 정체가 처음부터 제시된 구도에서 독자에게 즐거움을 선사하기 위해 후반부의 반전 또한 교묘하게 한 번 더 비틀어야 하는 난점을 지니고 있습니다. 그리고 무엇보다 이 도서 추리 형식의 추리 소설에서 가장 중요한 것이 바로 매력적인 탐정 캐릭터입니다. 독자가 이미 범인을 아는 상황에서 도서 추리 작품 속 탐정은 독자의 예상을 훨씬 뛰어넘는 기막힌 증거를 제시하며 범인을 꼼짝 못하게 사로잡는 명석한 두뇌와 카리스마를 지닌 캐릭터여야만 합니다. 이렇듯 까다로운 도서 추리의 형식을 작품 속 모든 수록작에 과감히 집어넣은 연작 단편집이 2019년 일본 미스터리 독자들의 눈길을 사로잡았습니다. 바로 본 작품 후루타 덴의 『거짓의 봄』입니다.

물론 『거짓의 봄』이 눈길을 사로잡은 이유는 그뿐만이 아닙니다. 『거짓의 봄』을 쓴 작가 후루타 덴은 80년대생 젊은 여성 작가 두 명이 모여서 만든 콤비 작가 유닛입니다. 등장인물과 시놉시스를 비롯한 작품의 전체적인 설정과 플롯을 담당하는 하기노 에이[萩野瑛], 집필을 담당하는 아유카와 소[鮎川颯]가 팀을 이뤄 후루타 덴이라는 공동 필명을 만들었습니다. 이들은 와세다 대학 문학부를 졸업한 동기로 함께 생활하면서 치열하게 상의하며 집필 활동을 이어 가는 것으로 알려져 있습니다. 이들과 같은 유명한 콤비 작가로 서구권에는 20세기 미스터리를 대표하는 거장 엘러리 퀸이 있고 일본에서는 『클라인의 항아리』 등의 명작을 남기고 1989년 해산한 오카지마 후타리[岡嶋二人] 등을 꼽을 수 있지만, 공동 필명으로 활동하는 작가가 드문 요 근래에는 존재 자체만으로도 눈에 띈다고 할 수 있습니다. 이들은 2009년부터 소녀 취향의 장르 소설을 꾸준히 내면서 조금씩 실력을 쌓아 가다가 2014년 처음으로 후루타 덴이라는 명의로 세상에 내놓은 미스터리 『여왕은 돌아오지 않는다』로

제13회 '이 미스터리가 대단해!' 대상을 수상하며 미스터리 소설 작가로서 본격적으로 이름을 알리기 시작합니다. 이후 인터넷과 SNS상에서 벌어지는 인간들의 리얼한 갈등과 치밀한 복선 회수, 경천동지할 반전을 담은 미스터리 소설 『그녀는 돌아오지 않는다』, 오래된 저택에서 발견된 백골 사체의 비밀을 그린 『제비꽃 저택의 죄인』 등의 작품을 1, 2년 단위로 꾸준히 발표하면서 인지도와 실력을 탄탄히 쌓아 가다가, 2018년 현대의 '노인 사기'를 소재로 사기 그룹을 이끄는 노년의 여성 캐릭터 미쓰요와 '순경 아저씨' 캐릭터로 일본 미스터리 사상 전무후무한 매력을 지닌 가노 라이타의 치열한 두뇌 싸움, 그리고 어딘가 쓸쓸하면서도 아름다운 봄기운의 정취를 담은 단편 '거짓의 봄'으로 제71회 일본 추리작가협회상을 수상하며 마침내 유명 작가의 반열에 오르게 됩니다. 이후 '거짓의 봄'은 '당신은 반드시 다섯 번 속게 된다!'라는 홍보 문구와 함께 가노 라이타의 과거와 활약상, 다양한 소재를 다룬 도서 추리 단편 네 편을 더한 연작 단편집 『거짓의 봄』으로 2019년 현지에서 정식 출간되어 독자의 높은 관심과 인기를 불러 모았습니다.

후루타 덴의 작품을 읽어 보면 하나같이 작품의 치밀한 설정과 구성력, 가독성 좋은 유려한 문장이 눈에 띄어 그야말로 콤비 작가의 장점이 십분 살아 있습니다. 그들을 인터뷰한 기사를 읽어 보면 작품 하나를 쓸 때마다 치열하고 꼼꼼하고 거친 토론 과정을 거치지만, 두 사람이 각자 자신에게 부족한 능력을 갖춘 파트너를 누구보다 존경하고 있고 그러한 마음이 완성도 높은 작품의 근간에 단단히 뿌리 내리고 있음을 알 수 있습니다. 이들은 생활고 등 여러 불가피한 원인으로 다작 작가가 많은 요즘 같은 현실에서도 천천히, 공들인 작품을 하나둘 세상에 선보이고 있습니다. 가장 큰 관심사는 역시 '인간'입니다. 『거짓의 봄』 출간 이후 인터뷰에서 작품의 큰 틀을 담당하는 하기노 에이는 "맥 빠질 정도로 단순하면서도 그저 단순하다는 한마디로 정리할 수 없는 복잡함이 혼재된 인간의 리얼한 내면을 소설로 쓰고 싶다"라는 목표를 밝힌 바 있습니다. 그렇게 때로는 눈을 질끈 감고 싶을 정도로 리얼한 인간의 상반된 내면을 그리면서도 특유의 아스라한 정취와 따스함을 잃지 않는 후루타 덴만의 독특한 작풍은 콤비 작가라는 특성만큼이나 독보적이라고 할 수 있습니다. 느리고 조용하지만 확실한 이들의 활약을 보다 보면 마치 겨우내 조금씩 생명력을 비축해 뒀다가 모르는 사이에 조금씩 봉오리를 틔워 마침내 만개하는 봄꽃이 떠오릅니다. 그 꽃은 본 작품『거짓의 봄』을 기점으로 일본 현지는 물론이고 국내에도 활짝 피어서 후루타 덴을 늘 믿고 있을 수 있는 실력 있는 젊은 미스터리 작가군 중 한 명으로 거듭나게 할 것으로 확신합니다.

과거에는 범죄자들을 일망타진하는 현경 수사1과의 형사로서 취조를 맡으면 누구 하나 그의 손아귀에서 빠져나가지 못한다는 점에서 '자백 전문 가노'로 불렸지만, 지금은 한가로운 역 앞 파출소에서 늘 어딘가 나사 하나가 빠진 듯이 실실거리며 민원인들의 고충을 해결해 주는 순경 아저씨가 된 가노 라이타. 그런 그가 얼굴에서 웃음기를 싹 지우고 범인과 일대일로 대결하며 날카로운 추리력을 발휘해 범인을 잇달아 궁지로 몰아붙이는 묘사는 독자의 손에 땀을 쥐게 하는 명실상부한『거짓의 봄』의 백미입니다. 이 매력적인 캐릭터를 역시나 한 작품만으로 사라지게 하기는 아쉬웠는지『거짓의 봄』출간 이후 독자들의 열화와 같은 요청으로 '가노 라이타 시리즈'는 앞으로도 이어지게 되었고, 2021년 현재 속편이자 이번에는 장편인 시리즈 후속편 『아침과 저녁의 범죄』가 현지 잡지에서 절찬리에 연재되고 있습니다. 시리즈 속편을 비롯해 후루타 덴의 작품이 앞으로도 꾸준히 소개되어 『거짓의 봄』으로 만개를 시작한 재능 있는 콤비 작가의 활약상을 우리나라에서도 늦지 않게 구경할 수 있게 되기를 기원해 봅니다.

2021년 봄
이연승

# 거짓의 봄

**1판 1쇄 인쇄** 2021년 3월 20일
**1판 1쇄 발행** 2021년 3월 30일

**지은이** 후루타 덴 **옮긴이** 이연승
**책임편집** 민현주 **디자인** 강수정 **제작** 송승욱 **발행인** 송호준

**발행처** 블루홀식스 **출판등록** 2016년 4월 5일 제 2016-000100호
**주소** 경기도 파주시 회동길 483-1 **전화** 031-955-9777 **팩스** 031-955-9779
**이메일** blueholesix@naver.com

**ISBN** 979-11-89571-44-3 03830